CW00392535

Lrawyn,
Pwll - Trap,
San Cler.

Hefyd yn y gyfres:

Coup d'État

Siân Jones

Argraffiad cyntaf—1990

ISBN 0 86383 628 3

Cyhoeddwyd dan gynllun comisiynu'r Cyngor Llyfrau Cymraeg.

Dymuna'r cyhoeddwyr gydnabod cymorth a chyfarwyddyd Adrannau'r Cyngor Llyfrau Cymraeg a noddir gan Gyngor Celfyddydau Cymru.

Argraffwyd gan J. D. Lewis a'i Feibion Cyf.,
Gwasg Gomer, Llandysul, Dyfed.

I Mari
a Ruth, Rhys, Gwyn, Luned a Non

Carwn ddiolch i Irma Chilton am ei harweiniad a'i chefnogaeth; i staff Gwasg Gomer a'r Cyngor Llyfrau Cymraeg am eu cymorth a'u gofal ac i Julie Edwards am deipio.

Siân Jones
Gorffennaf 1990

1

Symudodd y domen ddillad ar y gwely flewyn. Yna llonyddwch eto. Crynodd y domen eilwaith cyn ffrwydro fel llosgfynydd. Ymddangosodd Rhian o ganol y dilladach. Edrychai fel draenog wedi cael sioc, yn wallt a phenelinoedd i gyd. Ond yn raddol, ymlaciodd a thoddodd y pigau a gorweddodd yn ôl yn hamddenol. Roedd yr hunllef drosodd. Ni ddisgynnodd i waelod y grisiau y tro hwn chwaith.

Edrychodd o'i hamgylch; roedd hi eisoes wedi gwawrio yn ôl y golau a ddeuai drwy'r llenni. Trodd a gweld bod cloc y radio'n fflachio. Dario! Cofiodd am y toriad hir a fu yn y cyflenwad trydan neithiwr, ar ganol y disgo. Roedd y dref gyfan wedi bod fel bola buwch a dim byd ond goleuadau ceir i oleuo'r ffordd adref. Cofiodd wedyn fod Dilwyn wedi sylwi, wrth i'r car ddod dros y grib i mewn i'r cwm, nad oedd golau i'w weld yn unman ar draws gwlad. A hithau'n noson glir o Fehefin, fe ddylent fod wedi gallu gweld goleuadau'r Cei a Phwllheli.

Trodd eilwaith a thyllu'n ôl i mewn i'r dillad. Fu ganddi erioed fawr ddim i'w ddweud wrth y bore. Ymlwybrodd ei meddwl yn ôl at y disgo; Dilwyn yn bygwth KGB am ei alw'n hic (enw plant y dref ar blant y wlad); Nest yn mynd gyda Dei Dew o bawb, a hithau a Gary yn caru'n glòs. Anesmwythodd. Daeth yr amheuon a fu'n ei phoeni ers rhai dyddiau bellach, yn ôl. A oedd hi'n dechrau cwympo allan o gariad? Na, amhosibl! Ond roedd 'na rywbeth yn ei phoeni, ac ni allai ddweud beth.

Trodd eto a gwasgu botwm y radio. Miwsig clasurol! Troi i orsaf arall—Radio Cymru—cerddoriaeth eto. Dyna beth od. Ymbalfalodd am ei wats ar y bwrdd bach.

Eiliadau i wyth oedd ei neges. Arhosodd. Tawodd y gerddoriaeth.

'Bore da, ddinasyddion Prydain. Dyma ein hanthem genedlaethol,' a dechreuodd seiniau "Duw gadwo'r Brenin" lifo o'r tyllau bach ar wyneb y set. Edrychodd Rhian yn hurt ar y radio, fel pe bai wedi tyfu cyrn. Pan dawodd y gerddoriaeth, dychwelodd y llais.

'Ddinasyddion teyrngar. Dyma'r newyddion ar fore Sul, Mehefin 24, 2009. Mae'n bleser gennym gyhoeddi bod ei Fawrhydi'r Brenin wedi gofyn i'r Cadfridog Winterbottom, pennaeth y fyddin, ffurfio llywodraeth newydd ar gyfer y Deyrnas Unedig. Gwnaeth hynny ar ôl clywed gan y Cadfridog fod ganddo gefnogaeth y fyddin, y llynges a'r llu awyr, a bod aelodau'r llywodraeth flaenorol wedi eu cymryd i'r ddalfa, er mwyn sicrhau eu diogelwch hwy a'r cyhoedd. Derbyniodd y Brenin y newyddion am hanner nos neithiwr, ac yntau'n treulio'r penwythnos yng nghastell Windsor.'

Clywodd Rhian sŵn drws ystafell Dilwyn yn cael ei daflu ar agor a'i draed mawr cerrig beddi yn rhuthro ar draws y landing i ystafell eu tad a'u mam. Cododd ar frys a'i ddilyn yno.

'Caea dy geg, Dil, a gad i fi glywed,' meddai eu tad wrth i Rhian roi ei phig i mewn i'r ystafell.

'Gorchmynnir pob dinesydd i wrando'n gyson ar y radio heddiw, neu edrych ar ei set deledu, er mwyn derbyn newyddion a gorchmynion pellach gan y Llywodraeth.'

'Mae'r Dde wedi'i gwneud hi 'te . . . wedi llwyddo i berswadio'r fyddin,' meddai eu tad.

'Mae un gorchymyn wedi dod i law yn barod, sef bod pob dinesydd i fod yn ei gartref erbyn saith o'r gloch bob nos, gan gychwyn heno. Rhagwelir y bydd y *curfew* hwn yn parhau am rai misoedd, hyd nes y ceir y wlad i drefn, yn dilyn anfadwaith y Llywodraeth Lafur a ddymchwelwyd yn llwyddiannus neithiwr.'

Diffoddodd John Dafis y set radio. Erbyn hyn, roedd ef a'i wraig ar eu heistedd yn y gwely, a'u hefeilliaid, Dilwyn a Rhian, yn sefyll wrth y drws, yn syllu arnynt a'u cegau'n agored.

'O leia mae popeth yn barod. Fe fydd y Cyngor yn gallu galw ar eu cynrychiolwyr lleol nawr ac fe fydd y Rhwydwaith yn ei lle whap.'

Trodd John Dafis ei radio ymlaen eto a'i thiwnio i'r sianel Saesneg. Na. Yr un oedd y neges. Roedd yr amhosibl wedi digwydd.

Syllodd y pedwar ar ei gilydd am rai munudau, heb ddweud gair. Gwawriodd arwyddocâd geiriau'r darlledwr arnynt yn raddol. Beth ddeuai ohonynt? Roeddynt gyda'i gilydd, o leiaf. Dyna'r unig gysur a welai'r fam.

'Fe fydd yn rhaid i ni fwyta, 'ta beth,' meddai maes o law, gan daflu'i choesau dros erchwyn y gwely.

Ymlwybrodd Rhian a Dilwyn yn ôl i'w hystafelloedd a'u meddyliau ar chwâl; roedd cymaint o syniadau'n gwibio drwy ben Rhian nes y teimlai ei bod ar fin ffrwydro.

Ymhen hanner awr, roedd y pedwar yn eistedd o amgylch bwrdd y gegin, yn gorffen bwyta brecwast. Dyn canoloed oedd John Dafis, ei wallt brown yn teneuo a'i ganol yn tewhau. Siaradai fel pe bai ganddo fwy na llond ei geg o ddannedd gosod. Gweithiai yn y marina i lawr yn y dref ers naw mlynedd. Ef oedd yr is-reolwr yno. Symudodd yno ar ôl colli'i swydd yn yr orsaf ymchwil amaethyddol yn y Penrhyn. Credai llawer mai am iddo fod yn ormod o

9

undebwr a chenedlaetholwr yng ngŵydd y penaethiaid y collodd ei swydd.

Gwraig dawel, ddiymhongar, gadarn oedd Marian Dafis. Roedd wedi aros gartref i fagu'r efeilliaid hyd nes i'w gŵr golli'i swydd. Yna cymerodd swydd ysgrifenyddes yn y dref. Edrychai dipyn yn iau na'i hoed, sef pedair a deugain, oherwydd ei gwallt golau tonnog.

Efeilliaid pryd golau pymtheg oed oedd Dilwyn a Rhian. Dilwyn oedd yr hynaf o dri munud. Stwcyn sgwâr o fachgen ydoedd a fwynhâi dynnu coes ei chwaer yn fwy na dim. Merch bryd golau, gweddol dal a thenau oedd Rhian, ac un hoff iawn o chwaraeon. Edrych i lawr ei thrwyn ar ei brawd a wnâi hithau am ei fod mor "blentynnaidd" yn ei golwg hi. Ond Duw a helpo neb o'r tu allan a geisiai fygwth unrhyw un o'r ddau: byddai'r llall yn ymosod arno'n ffyrnig.

Wedi helpu'u mam i roi'r llestri yn y sinc heb ddweud gair wrth ei gilydd, estynnodd Dilwyn a Rhian am eu cotiau a'u welingtons. Aethant allan drwy ddrws y ffrynt. Gwyliodd eu mam hwy'n dringo'r llethr o flaen y tŷ, heibio i'r llyn ac adfeilion yr hen waith mwyn, i fyny gyda chwr y goedwig dywyll, annaturiol tua'r grib. Dyma'r tro cyntaf iddi eu gweld yn dilyn y llwybr hwn ers blynyddoedd lawer. Pan oeddynt yn llai, arferent ddianc yno rhag cael coten gan eu tad neu rhag rhyw fygythiad arall.

Ar ôl cyrraedd y grib, eisteddodd y ddau, fel arfer, ar y cerrig a throi i edrych tua'r môr, tua phymtheng milltir i ffwrdd. Crogai cymylau llwyd-ddu yn yr awyr: roedd glaw ar ei ffordd. Pigodd Rhian ychydig o lygaid y dydd a dechrau gwneud cadwyn.

'Er mwyn y tad . . .' ebe Dilwyn.

'Ol-reit, dwed di wrtho i beth i'w wneud 'te.'

'Mae unrhyw beth yn well na phanso 'da blydi blode.'

'Megis?'

'Wel . . . mae eisie sortio'r fyddin 'ma mas!'

'O ie, ac mi wyt ti'n golygu gwneud 'ny ar dy ben dy hunan bach.'

'Na, wrth gwrs, fe fydd raid i ni gael pobl at ei gilydd . . .'

'Mi wela i e nawr, pennawd y papur newydd rhydd cynta—Bachgen pymtheg oed yn achub Cymru o grafangau byddin Lloegr! Hwrê! Hwrê! Hw . . .'

'Gad dy lap,' ebe Dilwyn yn sur.

'Ar y llaw arall, mi allet ti wastad ymuno â Nhw. Mi fydden ni i gyd yn iawn wedyn.'

'Mi fyddai Dad yn fy lladd i.'

'Rwyt ti'n iawn.'

Tawelwch am ennyd. Edrychodd Dilwyn ar yr olygfa o'i flaen. Roedd popeth mor normal. Ni allai gredu'r geiriau a glywsai y bore hwnnw. Ond dyna fe, mae'n siŵr y byddai'n cymryd amser i'r fyddin gyrraedd pellafion byd fel hwn.

'Wyt ti'n meddwl y bydd 'na ysgol 'fory?' gofynnodd Rhian maes o law.

'Siŵr o fod. Beth arall wnelen Nhw â ni?'

Ar hyn, disgynnodd y ddau yn fflat ar y llawr wrth i awyren filitaraidd hedfan drostynt, tua deg troedfedd ar hugain uwch eu pennau. Credai'r ddau yr holltid eu pennau gan y sŵn arswydus.

Arhosodd y ddau yno a'u hwynebau wedi'u claddu yn y borfa fras, wrth i chwech arall ddilyn y gyntaf. Wrth iddynt bellhau, cododd Dilwyn ei ben a'u gweld yn hedfan, un ar ôl llall i lawr tua'r de. Na, nid oedd pethau yr un fath ag arfer: mewn parau yr arferai'r bleiddiaid yna hela. Ni welsai saith gyda'i gilydd erioed o'r blaen.

''Sdim iws i ni eistedd fan hyn, 'ta beth,' meddai. 'Dere, dw i'n mynd adre. 'Falle bod 'na rywbeth newydd ar y bocs erbyn hyn.'

Cododd Dilwyn a dechrau hanner cerdded, hanner rhedeg i lawr y llethr. Cododd Rhian a'i ddilyn, ond yn arafach.

Erbyn iddi gyrraedd y tŷ, roedd Dilwyn a'i thad yn eistedd o flaen y teledu yn gwylio'r gorchmynion diwedd-araf yn cael eu rhestru. Nid oedd ganddi'r stumog i'w gwylio ac aeth i helpu'i mam i baratoi'r cinio. Rhoddodd ei mam grafwr a bwcedaid o datws iddi a dechreuodd eu pilio'n ufudd wrth y sinc. Fel arfer, byddai cwyno mawr bob dydd Sul ynglŷn â'r gorchwyl hwn.

Nawr ac yn y man, deuai bloedd o'r ystafell deledu yn rhoi crynodeb bachog o'r ddeddf ddiweddaraf i'w phasio ynghyd â rheg neu ddwy. Mae'n debyg bod y lluoedd arfog wedi meddiannu'r Tŷ Cyffredin tua wyth o'r gloch y bore hwnnw er mwyn pleidleisio'n unfrydol ar amryw o ddeddfau newydd. Cludai negeswyr gopïau ohonynt mewn confoi i balas Buckingham, lle y caent eu har-wyddo. Mae'n debyg i'r Brenin gael ei hebrwng yno o Windsor.

Ceisiodd y ddwy yn y gegin anwybyddu'r bloeddiadau gan fwrw ymlaen â'r cinio. Roedd hwnnw'n barod tuag un ac eisteddodd pawb i lawr i fwyta, gyda drws yr ystafell ar agor er mwyn iddynt allu clywed y teledu.

Yn ôl a welai Rhian, roedd dau newid mawr yn ei hwynebu. Ni fyddai gwyliau haf i ysgolion eleni—i ddisgyblion na'u hathrawon—a byddai'n rhaid aros i mewn bob nos. Byddai'n amhosibl mynd i'r dref ar ôl yr ysgol a bod gartref erbyn saith. Ond y gorchymyn mwyaf sinistr oedd yr angen, o fewn y mis nesaf, i bob un alw yn y Swyddfa Bost yn y dref i gael tynnu'i lun a chael cerdyn adnabod personol yn cofnodi gwybodaeth amdano. Fe gâi pawb wybod pryd i fynd yno ar y radio neu'r teledu lleol.

Ar ddiwedd y pryd, cyhoeddodd Dilwyn ei fod am fynd i lawr i'r Penrhyn i "weld y bois".

'Wyt ti'n dod?' gofynnodd i Rhian.

Ni chawsai hi wahoddiad tebyg ers amser.

'Mae unrhyw beth yn well nag eistedd fan hyn yn gwrando ar y bocs 'na'n clebran.'

Cododd y ddau a gwisgo'u cotiau glaw gan ei bod yn bwrw glaw mân niwlog erbyn hyn. Wedi casglu'u beiciau, chwyrnellodd y ddau i lawr dros y grib i'r cwm islaw a thrwy bentre'r Bont. Nid oedd enaid byw i'w weld yn unman; doedd hyd yn oed Wil Rhyd Beddau ddim ar ben y drws fel arfer. Ymlaen wedyn hyd ffyrdd culion a chloddiau uchel heb gyfarfod na char na thractor cyn dod ar eu pennau i mewn i'r Penrhyn, heibio i'r neuadd a'r eglwys ac i'r sgwâr a'i gofgolofn. Dyma fan cyfarfod pobl ifanc yr ardal ers cenedlaethau.

Pwysai Gary Jones yn erbyn y gofgolofn, tra eisteddai Phil Post, Ifan Syfydrin, Nic Salem, Nia Troed-rhiw, Janice Mynydd Gorddu a Dylan Llwyngronw wrth ei bôn—trawsdoriad o'r gymdeithas leol os bu un erioed. Buont gyda'i gilydd trwy'r ysgol gynradd ac uwchradd. Y prif wahaniaeth rhyngddynt oedd bod rhieni Phil, Nic a Janice wedi ymfudo i'r ardal o Loegr flynyddoedd yn ôl; plant yr ardal oedd Ifan, Dylan, Nia a Gary.

Sgrialodd beic Dilwyn ar draws y cerrig mân o amgylch y gofgolofn wrth iddo frecio. Cyrhaeddodd Rhian gyda mwy o steil.

'Shw ma'i?' meddai Dilwyn yn fywiog.

13

'Shw ma'i?' oedd yr ateb cytûn ond amrywiol ei nodyn.

'Be 'chi'n feddwl o'r holl howdidŵ 'ma 'te?' gofynnodd Dilwyn.

'Blydi grêt,' atebodd Phil.

'Fyddwn i ddim yn disgwyl gwell 'da ti,' meddai Nic, 'snob Torïaidd mwya'r ysgol a dy dad yn Fesyn.'

'Mae 'nhad i'n lot o bethe ond dyw e ddim yn Fesyn,' ebe Phil, yn codi'i ddyrnau a dechrau dynesu at Nic.

''Steddwch i lawr, y ffylied,' ebe Ifan, yn ei lais awdurdodol, tawel.

Gwnaeth pawb yn ôl y gorchymyn a bu tawelwch am dipyn. Aeth Dilwyn a Rhian i roi eu beiciau i bwyso yn erbyn wal y Post.

'Dw i ddim yn credu'i bod hi'n iawn ein bod ni'n gorfod mynd i'r ysgol drwy'r haf, 'ta beth,' meddai Janice o'r diwedd. 'O'n i fod i weithio ym moutique Elwyn Mary drwy'r gwylie.'

'Pam nad ei di, 'ta beth?' gofynnodd Rhian.

'Beth os ffeindith rhywun mas?'

'Fydd 'na neb lawr ffordd 'ma am oesoedd,' meddai Dilwyn.

'Nid 'na beth ddywedodd Dad,' ebe Dylan. 'Mi welodd e ddau jîp y tu fas i neuadd y dre bore 'ma, pan aeth e i mo'yn y papur.'

'Y! Mae'r cwbl yn hela ias lawr 'y nghefn i,' meddai Rhian.

'Alli di fentro bod â iase hefyd, gyda'r tad Welsh Nash Comi 'na sy gen ti,' meddai Phil.

'Clywch! Clywch!' meddai Gary.

'Whw!' meddai Nic, ''Na beth yw dangos dy ochr.'

'Dw i bob amser ar yr ochr iawn, gw'boi,' atebodd Gary.

Edrychodd Rhian arno mewn anghrediniaeth lwyr. Ai dyma'r bachgen y bu hi'n mynd gydag e ers misoedd? Edrychodd arni nawr â gwen ryfedd ar ei wyneb.

Yn sydyn, rhuodd chwe awyren dros y cwm, yn teithio tua'r gogledd. Tawelodd hyn y sgwrs wrth i bawb eu gwylio. Ni wyddai neb wedyn sut i'w hailgychwyn ar dir diogel. Cyn hir, penderfynodd Phil mai troi am adref oedd orau ganddo ef a cherddodd ar draws y sgwâr gan godi llaw yn swta ar y lleill wrth fynd. Diflannodd drwy ddrws y Swyddfa Bost heb yngan gair. Edrychodd Rhian ar Gary ond nid edrychodd ef arni hi.

Doedd fawr o awydd siarad ar neb wedyn, felly troi am adref fu eu hanes hwythau. Cyn hir, dim ond Dilwyn, Rhian ac Ifan oedd ar ôl ar y daith i fyny'r cwm. Wedi cyrraedd pentre'r Bont, daeth yn amser iddynt hwythau wahanu, ond stopiodd Ifan wrth y ciosg, a throi at y lleill.

'Be wyt ti'n feddwl o'r busnes 'ma mewn gwirionedd, Dil?' gofynnodd.

'Dw i ddim yn gw'bod 'to.'

'Na finne. Mae fy meddwl i'n gawdelog ofnadw. Ac mae'n rhaid i fi gyfadde bod llond twll o ofn arna i.'

'Rwyt ti'n fy synnu i, Ifan,' meddai Rhian. 'Fasen i byth yn meddwl bod ofn dim arnat ti.'

'Os wyt ti'n gofyn i fi, mae ofn ar unrhyw un call heddi.'

'Wyt ti'n meddwl?' gofynnodd Dilwyn.

''Sdim dal be wneith y giwed milwyr 'ma, unwaith y byddan nhw mewn grym—moch o'r un twlc â'r gwleid-yddion ydyn nhw.'

'Ond o leia fe ddylai fod 'na fwy o drefn ar bethe. Mae'n rhaid i ti gyfadde bod pethe wedi mynd dros ben llestri braidd y flwyddyn ddiwetha 'ma. Mae hyd yn oed Dad yn ymylu ar ddweud 'ny.'

''Falle wir, ond gormod o drefn fydd 'na'n y diwedd, fe gei di weld. Fe fydd raid i ti ofyn am ganiatâd i bisio cyn pen blwyddyn.'

Chwarddodd Rhian a Dilwyn dros bob man am y tro cyntaf y diwrnod hwnnw.

'Mae'n ddigon hawdd i chi chwerthin . . . Be am yr hen gardie 'na ry'n ni'n eu cael—dechre'r diwedd, bois, dechre'r diwedd.'

'Wyt ti'n mynd i'r ysgol 'fory?' gofynnodd Rhian, er mwyn newid testun y sgwrs.

'Mae hi'n wair arnon ni. Welith neb yn yr ysgol mohono i nes bydd hwnnw wedi gorffen, yr un fath ag arfer.'

'Ro'wn ni w'bod i ti os byddwn ni'n meddwl bod well i ti ddod,' meddai Rhian.

'Reit, fe wela i chi 'te. Ffoniwch os bydd 'na newydd.'

A chyda hynny, trodd Ifan a dechrau reidio i fyny'r rhiw am Gwmerfyn. Gwthiodd Rhian a Dilwyn eu beiciau i fyny'r rhiw serth tua'r gogledd heb dorri gair â'i gilydd. Wedi dod dros y grib, gallodd y ddau farchogaeth yn eu blaenau, drwy ffald Cwm Canol nes cyrraedd adref. Aeth Rhian yn syth i'r tŷ ond penderfynodd Dilwyn fynd i eistedd ar lan llyn y gwaith mwyn. Cododd lond llaw o gerrig a'u taflu bob yn un i'r dŵr. Gwyliodd y cylchoedd tonnau bach yn agor o'i flaen.

Beth ddeuai ohono tybed? Credai y gallai weld pob math o ddrysau newydd yn agor iddo gyda'r *coup d'état* hwn. Ond beth am rybuddion Ifan? O pwff! Digon i'r diwrnod ei ddrwg ei hun, fel y dywedai Anti Seiclon, yr athrawes Ddaearyddiaeth. Cododd a rhedodd i'r tŷ. Stopiodd wrth ddrws yr ystafell deledu. Yno brasgamai ei dad yn ôl a blaen, ei freichiau'n chwifio i bob cyfeiriad a llwch tobaco yn disgyn o'i bibell fel cawodydd ym mhob man.

'Pwy ddiawl maen nhw'n feddwl ydyn nhw? Mynd â hawlie sylfaenol pobl oddi arnyn nhw! Shwt mae disgwyl i neb gadw'n dawel dan y fath orthrwm? Os ydyn nhw'n disgwyl i fi a 'nhebyg ddiodde'n dawel, yna fe fydd raid iddyn nhw feddwl 'to. Protest sydd eisie, ar unwaith, ac yn gadarn. Dydyn nhw ddim yn mynd i ddamsang arna i'n hawdd iawn. O, na! Mi ddangosith y Cyngor un neu ddau o bethe iddyn Nhw.'

Gwthiodd ei dad heibio i Dilwyn, drwy'r gegin ac allan drwy'r drws cefn a chau hwnnw gyda'r fath glep nes bod y tŷ i gyd yn ysgwyd.

'Beth sy wedi'i gnoi fe 'te?' gofynnodd Dilwyn.

Trodd ei fam i edrych arno gydag anobaith yn ei llygaid.

'Maen nhw wedi cyhoeddi tua chwarter awr yn ôl ei bod hi bellach yn drosedd perthyn i undeb o unrhyw fath a bod pleidie gwleidyddol i'w diddymu.'

Gollyngodd Dilwyn chwibaniad hir isel cyn troi am y gegin i chwilio am rywbeth i'w fwyta.

2

Atseiniai clep y drws cefn yng nghlustiau Dilwyn wrth iddo chwyrlïo i lawr y rhiw tua'r Bont ar ei feic. Prin y gallai weld wrth i'r gwynt chwipio'r pinnau glaw i'w wyneb. Roedd yn hwyr fel arfer. Gadawsai Rhian y tŷ chwarter awr ynghynt i gyfarfod â'r bws ysgol yn y Penrhyn. Teimlai'r glaw yn dechrau treiddio i'w ddillad yn barod ac edrychai ymlaen at gyrraedd llawr y cwm a chysgod y coed a'r cloddiau yn y fan honno.

Byddai heddiw'n ddiwrnod diddorol iawn, meddyliodd. Pawb wedi colli'u gwyliau haf. Gofyn am drwbwl, o ystyried rhai o'r penbyliaid yn nosbarth pedwar a phump.

Gyrrodd ymlaen a'i drwyn bron ar gyrn y beic a chyrhaeddodd y pentref wrth i ddrws bws Roberts Crud-yr-awel ddechrau cau. Yn ffodus, cafodd Robin Wyn y gyrrwr gip ohono trwy gornel ei lygad ac ailagorodd y drws tra bod Dilwyn yn rhoi'i feic yn y cwt y tu ôl i'r garej bysys.

Daeth cymeradwyaeth fawr o gefn y bws wrth iddo ddringo'r grisiau. Bu prydlondeb Dilwyn yn ddihareb ers ei ddyddiau yn nosbarth un.

'Dim ond ei gwneud hi heddi, gw'boi,' meddai Robin Wyn cyn gwthio'r bws i'r gêr cyntaf yn erbyn ei ewyllys, a throi am y dref.

Camodd Dilwyn yn ofalus rhwng y bagiau a orweddai yma ac acw yn yr eil, nes cyrraedd y cefn. Sylwodd fod Rhian a Gary yn rhannu'u sedd arferol, y nesaf at y cefn ar y dde, ond heb fod yn rhannu'u sgwrs arferol. Gollyngodd ei hun yn domen wlyb i'r lle gwag ar y sedd gefn rhwng Ifan Syfydrin a'r ffenestr. Blaenoriaid eraill y sedd gefn oedd Nic a Dylan.

'A beth wnaeth i ti newid dy feddwl 'te?' gofynnodd.

Nid atebodd Ifan a gwyddai Dilwyn na ddeuai ateb oni chafwyd un ar y gofyn cyntaf.

'Wnest ti dy waith cartre Gwyddoniaeth, Nic?'

'I beth?' atebodd hwnnw o'i gornel arferol. 'Gyda'r holl ffys a ffadl, mae'n syndod 'mod i'n gallu anadlu heb sôn am weithio.'

'Yr un mor gydwybodol ag arfer, ontife, Ifan?'

Tawel oedd hwnnw o hyd, yn edrych i ryw bellter maith o'i flaen.

18

'Mae'n rhaid i ti beidio cymryd y peth 'ma'n bersonol,' sibrydodd Dilwyn. 'Nid ymosodiad arnat ti yw e.'

''Na beth wyt ti'n feddwl,' poerodd Ifan o gornel ei geg.

Tawelodd Dilwyn ac edrych ar ei gyfaill o gornel ei lygad—yr un gwallt anniben a thei-ar-sgiw ag arfer. Cododd Nia Troed-rhiw o'i sedd a thynnu ei sylw. Troi i siarad â chriw'r sedd gefn oedd ei bwriad.

'Beth o'ch chi'n feddwl o'r disgo nos Sadwrn?' gofynnodd.

'Disgo yw disgo,' atebodd Dylan yn swta.

'Paid â bod yn gymaint o glwtyn gwlyb, Dyl Dew. 'Ti'n bartner grêt iddo fe Syfydrin bore 'ma. Ifan! Deffra! Dyw diwedd y byd ddim wedi dod 'to. Mi fydd 'na ddisgo nos Sadwrn nesa. Gei di roi carad fach neis i Wendy Wallgo fan'ny.'

Chwarddodd pawb ond Ifan wrth feddwl am amhosibilrwydd y fath olygfa. Clorwth o ferch yn nosbarth pedwar oedd Wendy Ifans.

Aeth y bws yn ei flaen, ond doedd gan neb fawr o syniad ble'r oedden nhw, gan fod y ffenestri i gyd wedi cymylu drostynt. Pwy fyddai wedi meddwl ei bod ar drothwy mis Gorffennaf! Yr unig gip o'r byd y tu allan oedd yr hyn a welai plant dosbarth un a dau wrth rythu heibio i'r sychwyr ar y ffenestr flaen.

Tua gwaelod y pentref, arhosodd y bws a llifodd ugain a mwy o Saeson i mewn. Cadwai'r rhain i ganol y bws, yn y tir-neb rhwng dosbarth tri a phedwar y Cymry. Crach-euhach oedd enw caredig y Cymry arnynt a chnych pan na fyddai'r hwyliau cystal. Mewn pedair stad ar waelod y pentref yr oedd y Saeson hyn yn byw.

Gwnaeth Robin Wyn i'r bws sboncio fel cangarŵ wrth iddo ailgychwyn, gan greu rhialtwch mawr yn y cefn.

'Wedi bod ar y cwrw Awstralia 'na 'to, Robin?' gwaedd-odd Nic.

Chwerthin mawr eto, wrth i'r gyrrwr godi dau fys tua tho'r bws.

Codwyd unigolion wedyn, yma ac acw, ar weddill y daith i'r ysgol Saesneg. Yno, chwydodd y bws dros hanner ei gynnwys i'r iard cyn ailgychwyn i lawr y rhiw i'r dref i gael gwared ar weddill ei lwyth wrth fynedfa ysgol Dilwyn a Rhian.

Camodd y rhan fwyaf yn ofalus i'r iard. Ond nid oedd dim yn wahanol i'r arfer yno, heblaw nad oedd yn bwrw glaw. Roedd ceir yr athrawon yn daclus fel arfer a phlant dosbarth un a dau yn rhedeg o amgylch yr iard fel pethau gwyllt.

Ond teimlai Dilwyn rywsut fel pe bai'n mynd i faes y gad. Edrychai o'i amgylch ym mhob man, heb wybod beth i'w ddisgwyl. Ond ni welodd ddim i'w boeni wrth basio i ganol yr hen adeiladau. Roedd y ffenestri i gyd yn wag. Penderfynodd fynd i'r tŷ bach cyn i'r gloch ganu.

O fewn deng munud, yr oedd yr ysgol gyfan yn heidio ac yn ei gwasgu'i hun i'r neuadd fechan. Digwyddiad prin i'w ryfeddu! Safai Rhian a'i ffrind Glesni yn un o'r rhesi cefn yn disgwyl i'r prifathro gyrraedd. Merch anniben iawn yr olwg oedd Glesni. Edrychai ei gwallt fel pe bai brain wedi bod yn nythu ynddo ers sawl tymor a phrin iawn oedd ôl y wisg ysgol ar y dillad a wisgai. Ond yr oedd pwrpas i'r annibendod—ffasiwn! Sibrydai'r ddwy wrth ei gilydd, yn ceisio dyfalu, fel pawb arall, beth fyddai pregeth y "Prif".

'Bore da bawb,' oedd ei eiriau cyntaf arferol wrth iddo gyrraedd y llwyfan, lle'r eisteddai'r rhan fwyaf o'r athrawon.

'Mae arnaf ofn fod yn rhaid i mi'ch galw chi i gyd yma heddiw er mwyn egluro rhai rheolau newydd i chi. Mae'n siŵr eich bod i gyd yn gwybod bellach am y newid a fu yn llywodraeth gwledydd Prydain dros y Sul. Danfonwyd y rheolau newydd i ni ar y prif gyfrifiadur neithiwr, o Lundain. Dyma eu cynnwys yn fyr. Yn gyntaf, ni fydd gwyliau haf eleni a bydd gwersi i bawb tan ddiwedd mis Awst. Yn ail, defnyddir y gansen o hyn allan i gosbi unrhyw ddisgybl sy'n drwgweithredu. Yn drydydd, fe estynnir oriau ysgol hyd at bedwar o'r gloch y prynhawn. Cewch fanylion pellach am gynnwys y wers ychwanegol hon yfory. Yn olaf, ni chaiff y chweched dosbarth unrhyw wersi rhydd o hyn ymlaen. Ar wahân i hyn, rwy'n disgwyl y bydd bywyd yr ysgol hon yn bwrw ymlaen fel arfer . . . Fe ganwn yr ail emyn ar bymtheg ar eich taflenni.'

Canwyd yr emyn heb fawr o arddeliad cyn i'r prifathro ryddhau'r rhan fwyaf o'r ysgol i fynd i'w gwersi, gan gadw'r pumed a'r chweched ar ôl i roi cyfarwyddiadau pellach iddynt ynglŷn â'u harholiadau.

Ond allan yn y coridorau, doedd ar neb fawr o awydd mynd i'r dosbarthiadau. Siaradai pawb ar draws ei gilydd ynglŷn â'r rheolau newydd.

'Does 'da'r sowldiwrs 'ma ddim lot o glem ar shwt mae gwneud ffrindie, oes e?' meddai Rhian. 'Mae'r holl ysgol 'ma'n mynd i'n lladd ni i gyd.'

'Mwy o gyfle i weld Denzil a Gary,' atebodd Glesni.

'Dw i ddim yn gw'bod amdanat ti a Denzil, ond dw i'n gweld mwy na digon o Gary ar hyn o bryd.'

'W! Gwin yn dechre troi'n sur?'

'Dw i ddim yn gw'bod 'to, ond dw i ddim yn lico'i agwedd e'n ddiweddar.'

'Dewch, chi'ch dwy,' meddai llais cras y tu ôl iddynt.

'Fe fydd yna ddigon o amser i drafod y rheolau newydd amser chwarae.'

Ysgubodd yr enwog Anti Seiclon heibio iddynt.

'Yr hen sgubell,' ebe Glesni dan ei gwynt, cyn cyflymu'i cherddediad yr ychydig lleiaf.

Erbyn i'r ddwy gyrraedd eu gwers gyntaf—Gwyddoniaeth dwbwl—roedd ei hanner drosodd.

'Does dim un drwg nad yw'n dda i rywun, 'ti'n gweld,' ebe Rhian.

'Rwyt ti'n iawn fan'na. Ond lwyddith Tyffti i ddysgu dim mwy i ni mewn hanner gwers na wnele fe mewn chwech.'

Chwarddodd Rhian wrth wthio i fyny'r grisiau i ben blaen y gynffon wrth ddrws y labordy. Roedd Mr Griffiths yr athro yn hwyr, yr un fath â hwythau.

'Pe bydden ni'n gwrando, byddai hynny'n help.'

Chwarddodd y ddwy y tro hwn a throdd y gweddill i weld beth oedd y jôc wrth i Mr Griffiths gyrraedd a datgloi drws y lab. Ymlwybrodd pawb i mewn heb lawer o ddiddordeb.

'Dw i eisio mynd dros be rydan ni wedi bod yn ei wneud dros y pythefnos diwetha 'ma,' meddai'r athro, ar ôl cael trefn ar ei bapurau.

'Y!' oedd ymateb Glesni, dan ei hanadl.

'Cer i ofyn iddo fe am wers ecstra amser chware, Gles,' ebe Wilibawan mewn sibrydiad swnllyd o'r rhes y tu ôl iddi.

'William Owen—distawrwydd! Mi fedrwch chi ddysgu mwy na neb yma o wrando heddiw, o styried y marc gawsoch chi ym mis Mawrth.'

Suddodd Wilibawan yn ôl i'w gragen. Ni ddeallai eto

sut y gallai Tyffti ei ddal yn sibrwd bob tro, heb sôn am siarad.

'Iawn. Trowch at eich nodiadau ac mi 'drychwn ni ar . . .'

Tawodd llais yr athro wrth iddo gael ei foddi gan sŵn hofrenyddion. Edrychodd pawb ar ei gilydd cyn stumio i geisio gweld allan o'r ffenestr. Yn y diwedd aeth chwilfrydedd Wilibawan yn drech nag ef a rhedodd at y ffenestri mawr. Dilynodd pawb ef, gan gynnwys Mr Griffiths.

Roedd deg o hofrenyddion Chinook tywyll mawr, y rhai â dwy set o lafnau, yn pasio dros yr ysgol ac yn glanio ar gaeau chwarae'r dref, wrth droed y bryn. Rhythai pawb arnynt yn gegagored. Arllwysodd milwyr arfog o'r awyren gyntaf i lanio a phenlinio mewn cylch o amgylch y cae i amddiffyn yr hofrenyddion eraill wrth iddynt hwythau lanio.

Teimlodd Rhian ias yn rhedeg i fyny ac i lawr ei chefn a thynnodd ar fraich Glesni a'i hannog i ddod oddi wrth y ffenestr. Ond ei hwfftio wnaeth honno a throi'n ôl yn gynhyrfus i wylio, wedi ei swyno gan y sŵn, y lliw a'r symud. Arhosodd Rhian wrth y ffenestr, ond edrych ar ei thraed a wnâi hi yn hytrach nag ar dri chwarter yr hofrenyddion yn ailgodi i'r awyr a throi tua'r de. Ymgasglodd y milwyr yn rhengoedd ar ganol y cae.

Wrth i sŵn yr hofrenyddion bellhau, dechreuodd y criw tawel wrth y ffenestr glywed sŵn grwnan isel. Pwyntiodd Mr Griffiths i gyfeiriad y môr a gwelodd y rhan fwyaf ddwy awyren Hercules fawr, lwyd a du, yn gwyro o amgylch y penrhyn ac yn hedfan tua'r cae. Ymddangosent fel pe baent yn crogi wrth waelod y cymylau llwyd isel uwch eu pennau.

''Drychwch!' meddai rhywun wrth i becynnau mawr gael eu taflu allan o'r ddwy awyren gerfydd parasiwtiau.

Hymiodd y ddwy ymlaen dros yr ysgol, gan beri i'r adeiladau grynu, cyn diflannu dros grib y bryn.

'Jîps,' meddai Wilibawan, wedi cynhyrfu drwyddo wrth weld y cerbydau'n disgyn yn araf wrth eu parasiwtiau bach i lawr i'r llawr. Rhuthrodd y milwyr ymlaen i'w derbyn. Roedd pob un bron wedi glanio'n saff ond roedd glaniad yr olaf fel petai'n creu pryder i'r fintai ar y llawr. Rhedai milwyr yn ôl a blaen fel ffyliaid gwylltion.

Glaniodd y bocs mawr o'r diwedd yn dwt a thaclus ar ben un o'r hofrenyddion segur, gan falu ei blaen yn rhacs.

Chwarddodd pawb yn y dosbarth, ond gan dawelu'n annaturiol o sydyn a hanner edrych o'u cwmpas ar ei gilydd.

'Reit, 'na ddigon,' meddai Mr Griffiths. 'Mae'n amlwg fod milwyr wedi cyrraedd y dre. Fe gewch chi i gyd gyfle i'w gweld nhw amser cinio.'

Ac felly y bu.

Teimlai Rhian ei bod yn cerdded mewn tref ddieithr—strydoedd hanner gwag, pobl yn edrych dros eu hysgwyddau, llygaid eraill yn troi yn eu pennau a milwyr yn brasgamu'n hyderus ar hyd y strydoedd. Synhwyrai fod pob gewyn yn ei chorff wedi'i dynhau, pob nerf yn barod i weithio a phob synnwyr yn effro a pharod. Roedd ei chamau'n ansicr, tra cerddai Glesni yn fras o'i blaen.

'Ble'r wyt ti'n cwrdd â Gary?' gofynnodd honno.

'Yn y Caban.'

'Dere 'te, neu fydd raid i ni ddechre'n ôl gynted ag y byddwn ni wedi cyrraedd.'

'Awn ni lan Stryd y Porth Bach 'te? Mas o ffordd y milwyr 'ma.'

'O.K.'

Trodd y ddwy i'r dde, o'r brif stryd. Yno, yn dod i lawr y stryd tuag atynt yn araf, roedd jîp a'i ddrysau ar agor a milwyr yn cerdded o bobtu iddo. Hoeliwyd Rhian i'r llawr gan yr olygfa. Teimlai ei bod wedi cael ei throsglwyddo'n sydyn i set ffilm ryfel. Ni fedrai symud ymlaen nac yn ôl. Roedd Glesni ddecllath o'i blaen cyn iddi sylweddoli nad oedd yn ei dilyn.

'Dere,' gwaeddodd yn ddiamynedd, fel pe na bai dim anghyffredin yn digwydd.

'Dw i'n mynd 'nôl i'r ysgol.'

'Ar dy ben dy hunan? Dw i ddim yn dod 'da ti!'

'Plîs, Gles!'

'I beth? Dw i'n starfo. Dere'n glou yn lle bihafio fel babi fan hyn. Fe fyddi di'n pisio ar ganol y stryd yn y funud.'

Nid oedd Rhian am gyfaddef ei hofn. Felly, a'i llygaid wedi'u hoelio ar y pafin, rhedodd at Glesni a cherddodd y ddwy i lawr y stryd hanner gwag, fraich ym mraich.

Roedd y criw arferol yn y Caban. Ond prin oedd sgwrs y rhan fwyaf ohonynt, tra bod y gweddill wrthi bymtheg i'r dwsin, yn ceisio cuddio distawrwydd y lleill, efallai.

'Byddwn i'n dwlu ymuno 'da nhw, nawr bod 'na rywbeth i ymladd drosto fe,' meddai Gary, wrth i Glesni a Rhian eistedd i lawr a chychwyn ar eu coffi, brechdanau a chacen.

Cododd calon Rhian wrth glywed hyn, ond yna dechreuodd amau at bwy y cyfeiriai.

'Fe welais i ambell i bisyn o sowldiwr ar y ffordd 'ma, 'ta p'un,' meddai Glesni.

Edrychodd Rhian arni mewn anghrediniaeth lwyr; y cyfan a wnaethai hi'i hun ar y ffordd i fyny oedd astudio'r palmant yn fanwl.

'Byddet ti'n rhedeg milltir, gw'gyl, 'tase un ohonyn nhw'n dy lygadu di heb sôn am ddim byd arall,' ebe Elen Haf yn sbeitlyd.

'Paid ti â bod mor siŵr! Dw i'n lico dynion!' atebodd Glesni, gan edrych yn benodol ar y bechgyn o'i hamgylch.

'La, la, la-la-la,' oedd ateb y rhan fwyaf o'r rheini. Ni fu Glesni erioed yn un o ferched "poblogaidd" dosbarth pedwar.

Tawodd y cwmni ychydig wrth i'r jîp a'r milwyr a welsai Glesni a Rhian ynghynt ddod i'r golwg yn y stryd y tu allan. Aeth pawb i fân siarad, gan gadw un llygad ar y stryd, wrth i'r milwyr ddynesu.

'Wyt ti'n gwneud chwaraeon heddi?' sibrydodd Gary wrth Rhian.

'Ydw, os na fydd hi'n bwrw.'

'Mi gwrdda i â ti wrth y ffreutur.'

Ar hyn, taflwyd drws y caffi ar agor. Sythodd pob un yn ei sedd. Gwenodd ambell un yn nerfus ar y milwr anferth, llwythog a gerddodd i mewn yn hamddenol. Roedd ei wn yn gorwedd ar draws ei fraich chwith. Astudiodd y cwmni yn y gornel bellaf yn ofalus. Suddodd ambell un yn ddyfnach i ddiogelwch coler ei got. Ni ddywedodd neb yr un gair. Teimlai Rhian y byddai'r distawrwydd a llygad-rythu'r milwr yn parhau am byth. Daliodd ei hanadl.

Trodd y milwr ar ei sawdl a mynd allan i'r stryd. Gollyngodd Rhian ei hanadl yn araf, araf iawn. Symudodd Glesni ychydig yn ei sedd.

'Doedd *hwnna* ddim yn dy ffansïo di, Glesni,' meddai Elen Haf mewn llais tawel.

Chwarddodd ambell un.

3

Eisteddai Dilwyn a Rhian gyda'i gilydd yn rhes flaen y wers Ffrangeg. Ni châi neb eistedd ble y mynnai yng ngwersi *Madame.*

Roeddynt ar ganol copïo cywiriadau eu papurau arholiad allan yn llawn. Deugain a phump y cant oedd marc Rhian a phedwar ar ddeg ar hugain oedd marc Dilwyn. Ni fyddai'r un o'r ddau farc yn plesio gartref ac roedd y ddau wedi penderfynu'n barod na fyddent yn sôn dim am y peth.

Pwniodd Dilwyn ei chwaer a phwyntio at ei wats. Tynnodd Rhian wyneb hyll arno cyn codi ei llaw.

'*Oui?*' meddai Mrs Seacombe, mewn llais draenog.

'Dilwyn *et moi, nous devons aller à le poste pour la . . . enregistrent,*' oedd ateb ansicr Rhian.

'*Il faut que nous allions à* la *poste pour enregist*rer,' oedd y cywiriad.

'*Oui, Madame.*'

'*Allez!*'

Cododd y ddau a gwthio'u papurau a'u beiros i'w bagiau, eu hysbryd yn codi ychydig.

'Rwyf am gael y cywiriadau yna, wedi'u gorffen ac ar fy nesg erbyn bore 'fory.'

Suddodd eu calonnau eto a llusgodd y ddau eu traed o'r ystafell.

'Fe fydd honna'n ein gweithio ni drwy'r haf, gei di weld,' meddai Dilwyn.

'Mae digon o le i dy weithio di,' oedd yr ateb wrth i'r ddau ymlwybro i lawr y coridor tua'r neuadd.

'Paid ti â chlochdar—doedd dy farc di ddim gwell.'

'O'dd e'n nes at hanner cant na d'un di.'

Pwdodd Dilwyn a brasgamu o'i blaen allan o'r ysgol tuag at gar ei fam oedd wedi'i barcio wrth y clawdd, y tu mewn i'r fynedfa. Gollyngodd ei hun i'r sedd flaen heb ddweud gair.

'Ble mae Rhian?'

'Ar ei ffordd, rywle.'

'Fe fyddwn ni'n hwyr.'

'Peidiwch â phoeni. Maen nhw'n dweud bod ciwie 'na bob dydd. O'dd raid i Wil Abel aros am dair awr y diwrnod o'r blaen—'na pam gawson ni wers rydd.'

'Dw i byth yn licio bod yn h . . .'

'Na 'dych, Mam.'

'Gad dy lap . . . Ble mae'r groten 'na?'

Ar hyn agorodd un o ddrysau cefn y car a disgynnodd Rhian yn domen anniben ar y sedd.

'O'r diwedd,' meddai ei mam cyn gwthio'r car i gêr a chychwyn am y dref.

'Dyw Dad ddim 'da chi?' gofynnodd Rhian yn betrusgar.

'Rydyn ni'n cwrdd ag e tu fas i'r lle.'

Teithiodd y tri weddill y daith heb ddweud gair. Nid oedd yr un ohonynt yn edrych ymlaen at gyrraedd y Swyddfa Bost ac ni wyddent beth i'w ddisgwyl wedi cyrraedd.

Bu'n rhaid parcio mewn stryd gefn a cherdded rownd y cornel at fynedfa gefn y brif Swyddfa. Yno, y tu allan i un o'r ddau flwch ffôn, safai John Dafis, ei ddwylo ym mhocedi ei hen siaced frethyn. Dilynodd ef y tri arall i mewn trwy ddrws wedi'i labelu â'r gair COFRESTRU. Safai dau blismon y naill ochr a'r llall i'r drws. Ni ddywedodd yr un o'r teulu air, fel y cytunwyd y noson cynt. Roeddynt wedi penderfynu bryd hynny y byddent

28

yn ateb y cwestiynau mor swta ag oedd bosibl. Ni wyddai Rhian a fedrai hi gadw at y penderfyniad.

Danfonodd un plismon Dilwyn a'i dad i un cyfeiriad a Rhian a'i mam i un arall. Eisteddodd y ddwy ar gadeiriau oedd wedi'u gosod mewn rhesi mewn ystafell foel, liw hufen. Roedd un milwr ac un plismon yn sefyllian yno ac yn cerdded o amgylch nawr ac yn y man. Wedi aros am tua hanner awr, clywodd Rhian rywun yn galw ei henw. Cododd a chyfeiriodd y plismon hi at ddrws ym mhen pellaf yr ystafell. Trodd a thaflu cipolwg truenus ar ei mam, fel oen yn mynd i'r lladd-dy. Agorodd y drws a'i chael ei hun mewn ystafell fechan. Roedd gwydr y ffenestr yn bŵl; ni allech weld mwy na golau drwyddi. Waliau diaddurn oedd yma eto, ond eu bod yn wyn y tro hwn. O'i blaen roedd desg a dwy gadair, un bob ochr. Eisteddai milwr y tu cefn i'r ddesg ac roedd pentwr o bapurau, cyfrifiadur ac offer meddygol o'i flaen. Gof-ynnodd i Rhian beth oedd ei henw, heb godi'i lygaid oddi ar sgrin y cyfrifiadur bach o'i flaen. Rhoddodd ei henw iddo. Teipiodd yntau rywbeth i grombil y peiriant ac mewn chwinciad chwydodd hwnnw garden binc fechan i lawr ar y ddesg. Galwodd y milwr hi at y ddesg a'i gorchymyn i estyn ei llaw. Cyn iddi gael amser i feddwl roedd wedi rhoi pin yn ei bys, gwasgu diferyn o waed ohono, a'i osod ar sleid, er mwyn cofnodi ei phatrwm DNA. Rhoddodd ddarn o wlân cotwm glân iddi i'w wasgu ar ei bys. Arweiniodd y milwr hi at ddrws yn y wal bellaf.

Yn yr ystafell nesaf, rhoddodd y cerdyn i filwr arall. Eisteddai hwnnw hefyd y tu ôl i ddesg lwythog. Yn y cornel, safai dyn a chamera yn ei law. Roedd yn foel a gwisgai sbectol gron a siwt ddu. Addas iawn, meddyliodd

Rhian, cyn iddi gael ei gorchymyn i sefyll ger y ffenestr. Gwnaeth hynny'n ofalus, gan roi'i dwylo y tu ôl i'w chefn. Pan gododd ei phen, tynnodd y dyn bach ei llun â'r camera a'i gwahodd i eistedd.

Cerddodd Rhian yn araf o amgylch y ddesg, gan wthio'i dwylo i'w phocedi. Wedi eistedd, sylwodd fod copïau o'i llun yn byrlymu o'r camera mawr. Rhoddwyd y rhain i'r milwr. Torrodd hwy'n ofalus a'u gludo ar wahanol ddarnau o bapur ac ar y garden binc. Ni ddywedodd air wrthi. Teimlai fel coma ar y papur o'i flaen. Gwyliodd Rhian ei ddwylo: rhai bychain, a sglein meddal arnynt. Roedd ei fysedd yn bigfain a'i ewinedd wedi'u torri'n sgwâr a thaclus. Nid oedd arlliw o ôl gynnau a bomiau ar hwn, meddyliodd Rhian. Ôl gwaith papur oedd yma.

Yn sydyn, cododd ei ben a gofyn iddi beth oedd ei henw. Rhoddodd hithau'r wybodaeth iddo, mewn pen-bleth braidd; oni wyddai ei henw'n barod, o edrych ar y garden binc? Trodd yntau at y cyfrifiadur ar gornel ei ddesg a gwasgu rhai botymau cyn syllu ar y sgrin am ychydig. Yna rhoddodd y garden binc mewn peiriant a chlywodd Rhian hwnnw'n teipio rhywbeth cyn poeri'r garden allan drachefn. I mewn i beiriant arall wedyn, lle y daeth allan wedi'i selio rhwng dau ddarn caled o blastig clir.

Daliodd y milwr y garden o'i blaen. Cododd Rhian a'i chymryd. Yn ddamweiniol cyffyrddodd ei llaw â'i un ef. Tynnodd ei hun hi yn ôl yn sydyn. Roedd y llaw arall yn oer a seimllyd. Syllodd y milwr arni am eiliad cyn galw enw rhywun arall. Agorwyd drws gan blismon a amneidiodd ar Rhian i'w ddilyn. Arweiniodd hi'n ôl i'r ystafell aros. Yno, rhoddodd Rhian ochenaid dawel o ryddhad, cyn dechrau poeni nad oedd golwg o'i mam yn unman. Beth wnâi hi nawr? Aros neu mynd allan i'r iard? Gâi hi fynd allan? Penderfynodd aros am ychydig. Eisteddodd ar gadair wag a'i chefn at y wal. Oddi yno gallai weld pob drws plismonog yn yr ystafell a phawb a eisteddai yno. Edrychai pawb, yr un fath â hithau, fel pe baent mewn cragen ddychmygol.

Agorodd un o'r drysau a chododd calon Rhian. Dim ond Mrs Davies Brysgaga oedd yno. Rhoddodd hanner gwên i Rhian cyn dianc o'r ystafell ar frys gwyllt. Agorodd y drws ddwywaith wedyn ond nid oedd golwg o'i mam. Penderfynodd Rhian mai dianc fyddai orau iddi hithau. Cododd a cherdded yn gyflym trwy'r drws am allan, i lawr y coridor ac i'r iard. Safai Dilwyn yno, ar ei ben ei hun.

'Ble maen nhw?' gofynnodd.

'Dw i ddim yn gw'bod.'

'Be sy ar d'un di?'

'Dw i ddim 'di edrych 'to.'

Tynnodd Rhian y garden blastig o'i phoced. Yno, wedi'i selio am byth yr oedd ei llun, ei chyfeiriad a phatrwm o ddotiau lliwgar.

'Beth yw'r rhain?' gofynnodd, gan bwyntio at y dotiau.

'Duw a ŵyr! Pob ffaith a chelwydd ddywedwyd amdanat ti erioed, siŵr o fod.'

'O, rwyt ti wedi suro! Ydyn nhw 'di damsang ar dy gyrn di?'

Cyn i Dilwyn feddwl am ateb addas, clywsant sŵn traed yn croesi'r iard. Eu tad a'u mam oedd yno. Cerddodd y ddau fraich ym mraich heibio i'w plant, heb fawr mwy na chip arnynt. Syllodd Dilwyn a Rhian ar ei gilydd am ychydig, ac yna ar gefnau eu rhieni cyn eu dilyn at y car. Yno rhoddodd John Dafis gusan ysgafn ar foch ei wraig ond sylwodd Rhian ei fod yn gwasgu'i llaw yn dynn. Trodd ar ei sawdl wedyn ac anelu'n ôl am yr harbwr heb ddweud gair.

Ymbalfalodd Marian Dafis yn ei bag am allweddi'r car, ond ym mhoced ei chot y cafodd hi afael arnynt yn y diwedd. Datglodd y drysau i'r ddau arall.

'Be sy'n bod, Mam?' mentrodd Rhian ymhen hir a hwyr, wrth iddynt wibio i lawr y brif stryd, yn ôl tua'r ysgol.

'Dy dad . . . fe wrthododd adael iddyn nhw gymryd sampl o'i waed.'

'Y twpsyn!' ebe Dilwyn.

'Paid ti â galw enwe ar dy dad! Mae mwy o ruddin ynddo fe nag mewn tri dwsin ohonot ti.'

Distaw fu gweddill y daith.

'Hwyl,' meddai Dilwyn wrth neidio allan o'r car wrth fynedfa'r ysgol.

Arhosodd Rhian.

'Be ddwyedon nhw wrth Dad?' gofynnodd.

'Mae'n rhaid iddo fe fynd 'na 'fory 'to. Fe fydd raid i ni i gyd geisio'i berswadio fe i newid ei feddwl, heno.'

*   *   *

Eisteddai Dilwyn ag un goes dros ochr y gadair, yn edrych ar y teledu, am nad oedd ganddo ddim byd gwell i'w wneud. Doedd dim byd o werth ar y bocs y dyddiau hyn beth bynnag—hen ffilmiau roedd wedi'u gweld yn barod a sioeau comedi o'r wythdegau a'r nawdegau—"yr oes aur", chwedl y Nhw. Doedd 'na ddim byd o werth ar y newyddion chwaith, dim byd ond newyddion da.

Cymerodd gip sydyn ar y cloc ar y silff-ben-tân. Bron â

bod yn saith. A'i dad yn dal heb ddod adref! Clywodd sŵn llestri'n torri yn y gegin. Nerfau ei fam ar chwâl, mae'n siŵr. Roedd Rhian wedi mynd am dro i'r mynydd. Anesmwythodd Dilwyn yn ei gadair a gwasgu un o fotymau'r teclyn newid sianel. Gwyddel bach yn siarad am ddawnsio. . . Gwyddel bach!

Cododd Dilwyn a rhuthro at y teledu a mynd i'w grombil yn syth i chwilio am orsafoedd gwahanol. Fflachiodd lluniau da a gwael ar y set wrth iddo droi a throi'r botymau. O'r diwedd, clywodd dinc llais yr oedd yn chwilio amdano. Arafodd a throi'r botwm yn ofalus. Ei wobr oedd gweld llun cymharol glir o wasanaeth RTE Iwerddon ar y sgrin. Diolch byth am yr erial lloeren uchel ar ben y tŷ, meddyliodd.

'Mam, dw i wedi cael gafael ar deledu Iwerddon,' gwaeddodd.

Agorodd drws y gegin a daeth ei fam i mewn.

'Be maen nhw'n ei ddweud?'

'O, dim byd o bwys, cwis neu rywbeth. Ond mae'n siŵr y bydd 'na newyddion cyn hir.'

'Diolch byth, y gwir!'

Tawodd ei llais wrth iddynt glywed beic modur yn dynesu. Rhuthrodd Marian Dafis at y ffenestr a gweld Dennis Blackwell yn codi llaw arni wrth basio, ar ei ffordd i'w gartref ei hun yr ochr draw i'r nant. Trodd yn ôl yn araf tua'r teledu a'i chefn yn crynu.

'Fe ddylai Rhian ddod i mewn nawr, mae'r cymyle'n dechre dod lawr,' meddai, gan anelu yn ôl am y gegin. 'Fe fydd swper yn barod yn y funud. Cer i chwilio amdani.'

'Adawa i hwn ymlaen i ni gael y newyddion,' meddai Dilwyn, gan godi lefel y sŵn cyn mynd allan i chwilio am ei chwaer.

Roedd swper drosodd, ond dim ond tri ohonynt oedd wedi bwyta. Dynesai at amser newyddion naw RTE. Roeddynt ar bigau'r drain erbyn hyn.

'Pam na ffoniwch chi Alan Watts, Mam?' ebe Dilwyn o'r diwedd. 'Neu fe wna i, os licwch chi.'

'Na, na . . . ddim 'to.'

'Plîs, Mam,' erfyniodd Rhian a thinc taer yn ei llais.

Edrychodd y fam ar y ddau ohonynt a gweld eu bod am wybod ble'r oedd eu tad, doed a ddelo. Cododd a mynd allan i'r cyntedd.

'Faint o fet ei fod e mas yn cael peint gyda Jac,' ebe Dilwyn yn ysgafn.

'Siŵr o fod.'

Edrychodd y ddau ar y sgrin o'u blaenau, heb ddweud dim. Clustfeinient ar lais eu mam; ond yr unig beth a glywsant yn glir oedd sŵn drws yr ystafell yn ailagor a'u mam yn sefyll yno a'i hwyneb yn wyn fel y galchen.

'Fe aeth milwyr i'r marina am bedwar heddi a mynd ag e gyda nhw,' meddai mewn llais rhyfedd, a'i dwylo yn chwarae ag ymyl ei brat.

Edrychodd Dilwyn a Rhian arni'n gegrwth. Gwireddwyd eu hofnau. Ni fedrent symud gewyn.

Ymlwybrodd Marian Dafis yn araf at gadair ei gŵr ac eistedd ar y fraich.

'Mae Mr Watts wedi trio ffonio o gwmpas oddi ar 'ny, i gael gw'bod i ble maen Nhw wedi mynd ag e. Ond doedd neb yn fodlon dweud dim. Mae e wedi addo trio ffindio mas 'fory.'

'Fe fydd raid i chi drio cael gafael ar y Cyngor, os na chewch chi lwc 'da Watts. Mae 'da'r Cyngor ei ffynonelle.'

Tynnwyd sylw'r tri gan gerddoriaeth swnllyd ar y teledu.

'Noswaith dda. Dyma'r newyddion,' ebe gwraig olygus ar y sgrin. 'Cyhoeddodd y Taoiseach yn y senedd y bore yma fod mil a hanner o Brydeinwyr wedi ffoi yma yn ystod yr wythnos ddiwethaf. Daeth bron i fil ohonynt ar draws y ffin o'r gogledd, yn eu plith lawer o Albanwyr. Maent yn cael eu cadw ar hyn o bryd mewn hen wersyll-oedd milwrol, tra bod eu ceisiadau am loches wleidyddol yn cael eu hystyried.'

Parhaodd y tri i wylio'r newyddion, ond heb ei glywed. Roedd eu meddyliau ar chwâl—Dilwyn yn ceisio meddwl sut y gallai ddarganfod ble'r oedd ei dad a'i achub; Marian Dafis yn poeni beth a wnaen Nhw iddo, a Rhian yn dyfalu sut y deuai hi i ben hebddo, dros dro os nad . . .

Wrth i'r gerddoriaeth gyfarwydd gloi'r rhaglen newydd-ion, cyhoeddodd y fam ei bod am fynd i'r gwely. Cynigiodd Rhian fynd i gysgu ati ond gwrthod wnaeth hi.

'Rwy'n credu y dylen ni ddianc i Iwerddon,' meddai Rhian, wedi i'w mam fynd i fyny'r grisiau.

'Pam? I beth?'

'Maen Nhw wedi mynd â Dad. Ni fydd nesa, gei di weld.'

'Fe fydd Dad 'nôl mewn diwrnod neu ddau, paid â phoeni.'

Ochneidiodd Rhian cyn gofyn, 'Welwn ni fe 'to, byth?'

''Tasen ni ond yn cael gw'bod ble mae e!'

Cododd Dilwyn, a sylwodd ar y ddesg yn y gornel. Arhosodd yno, wedi'i barlysu wrth weld ail bibell ei dad yn gorwedd yn ddiniwed ar ben tun o Condor. Beth petaen Nhw'n dod i chwilio'r tŷ am dystiolaeth yn ei erbyn, meddyliodd. Roedd yn rhaid gweithredu, a hynny ar frys! Dechreuodd lwytho cynnwys y ddesg i focs cardfwrdd oedd wedi'i wthio i'r bwlch rhwng y ddesg a'r wal.

'Be ddiawl wyt ti'n 'i wneud?' gofynnodd Rhian, cyn chwythu'i thrwyn yn ffyrnig.

'Cadw stwff Dad rhag ofn y dewn Nhw i chwilio'r tŷ,' atebodd ei brawd, yn dal i lwytho.

'O! Be ddigwyddodd i dy ddiwrnod neu ddau di, 'te?

'Gad dy lap a helpa fi. Diolch byth nad oedd e'n cadw stwff y Cyngor yma.'

A hynny a fu. Bu'r ddau wrthi'n ddygn am ddwy awr yn llwytho holl lyfrau a phapurau eu tad i focsys o'r garej. Ni sylwodd yr un ohonynt ar eu mam yn agor cil y drws i weld beth oedd achos yr holl sŵn. Llwyddodd i ddeffro gwên am eiliad yng nghanol llif o ddagrau.

*   *   *

Erbyn diwedd yr wythnos, roedd newyddion am John Dafis yn dal yn brin. Roedd si ar led yn y dref ei fod ef a thri arall, un darlithydd coleg a dau fyfyriwr, wedi'u cludo oddi yno mewn hofrennydd. Yn ogystal, roedd Alan Watts y marina wedi ffonio i ddweud iddo gael sicrwydd ei fod yn dal yn fyw, ond dim mwy, gan reolwr milwrol Cymru ei hun.

Nos Wener felly, eisteddodd y tri aelod o deulu Dafis Llwyn-gwern oedd gartref o amgylch bwrdd y gegin, i drafod eu dyfodol.

'Wela i ddim pwrpas mewn dianc i Iwerddon, Rhian,' meddai ei mam. 'Dyw hynny ddim yn mynd i helpu dim ar dy dad.'

'Sut gallwn ni ei helpu e 'te?' gofynnodd Rhian yn chwyrn, ond ag awgrym o ddeigryn yn ei llygaid.

'Drwy aros 'ma a dal i chwilio amdano fe, dal i ofyn, nes cawn ni w'bod ble maen Nhw'n ei gadw e.'

'Allen ni wneud hynny o Ddulyn, siŵr o fod,' meddai Dilwyn.

'A pham mae arnat *ti* eisie mynd o 'ma? O'n i'n meddwl dy fod ti'n eitha hapus i aros,' meddai ei fam.

'We-el, mae 'na rywbeth i'w ddweud dros aros *a* thros fynd.'

'Dyma ni! Eistedd ar ben y ffens fel arfer,' meddai Rhian yn wawdlyd.

'Draw fan'ny fydd y gwrthryfel yn dechre,' atebodd Dilwyn yn araf.

'Ond fe fydd raid iddyn nhw ddod 'nôl 'ma wedyn os byddan nhw am gael unrhyw effaith,' atebodd ei fam. 'All y Cyngor ddim gweithio ar ei ben ei hun.'

'Iawn, fe ddo i'n ôl 'da'r gwrthryfelwyr.'

'Oni fyddai'n well i ti aros 'ma i chwilio am dy dad nes iddyn nhw gyrraedd? Alli di byth wneud lot i'w helpu nhw ar y dechre.'

'Cha i ddim hyfforddiant yn eistedd ar 'y nhin fan hyn!'

Ar ôl distawrwydd hir, neidiodd Rhian o'i sedd a dechrau gweiddi.

'Be sy'n bod arnoch chi'ch dau? Yn siarad fan hyn am ymladd a gwrthryfel a rhinwedde mynd neu ddod . . .'

'Rhian . . .' ymbiliodd ei mam.

'Dy'ch chi ddim yn sylweddoli bod Dad wedi cael ei ladd. Mae e wedi MARW! MARW! MARW!'

Dyrnai ei dwylo ar y bwrdd wrth sgrechian y geiriau.

Cododd ei mam a rhoi clatsien iddi ar draws ei hwyneb. Tawelodd y storm, llifodd y dagrau a rhedodd Rhian allan o'r tŷ. Syrthiodd ei mam yn swp yn ôl i'r gadair cyn dweud mewn llais tawel, 'Cer ar ei hôl hi, Dil'.

4

Safai Rhian yng nghornel ystafell newid y gampfa, ei chefn at bawb. Roeddynt i gyd yn newid ar ôl ymarfer pêl-rwyd yn ystod yr awr ginio. Ni siaradai neb â hi, er bod pawb arall yn siarad â'i gilydd.

'Pwy arall fydd yn y gystadleuaeth 'ma 'te?' gofynnodd rhywun y tu ôl iddi.

'Un ysgol o bob sir yn ôl Biffi,' ebe llais arall.

Cyfeirio at yr athrawes ymarfer corff a wnâi'r llais, ac roedd ei llysenw'n ddisgrifiad addas iawn ohoni.

Caeodd Rhian fotymau'i blows yn ofalus. Wedyn gwisgodd ei sgert, ei sanau a'i sgidiau.

'Dadi pwy sy yn y carchar?' meddai rhywun y tu ôl iddi, yn llafarganu, 'Merch fach Dadi'n crio yn y gornel.'

Cipiodd ei bag a brasgamu trwy'r dyrfa am y drws.

'Wyt ti eisie macyn, Rhian?'

'I be?' gofynnodd hithau'n chwyrn gan droi atynt, 'I sychu dy din di?' Ac allan â hi a'i gwaed yn berwi, gan adael i'r drws gau'n glep ar ei hôl.

Tu allan ar yr iard roedd grwpiau o ddisgyblion yn sefyllian a siarad. Roedd hi'n ysu am gael siarad â rhywun, ond er i'w llygaid hedfan yn frysiog dros yr wynebau o'i blaen, ni allai weld neb y gallai ymddiried ynddo. Yna, wrth iddi ddechrau digalonni, daeth Gary a Dylan i lawr y grisiau o floc C. Dechreuodd gerdded tuag atynt, ond yna stopiodd.

'A dyma hi, merch amddifad enwoca'r ysgol,' meddai Gary wrth ei gweld.

'A be mae hynna'n ei feddwl?' gofynnodd Rhian.

'Os y'ch chi'ch dau'n mynd i gweryla 'to, dw i'n mynd o 'ma!' meddai Dylan gan droi ar ei sawdl a mynd i lawr y grisiau tua iard y bechgyn.

'Wel?' gofynnodd Rhian eto.

'Rwyt ti wedi colli dy dad, on'd wyt ti? Wedi ymuno â thlodion y byd 'ma bellach . . .'

''Tase dy dad . . .'

'O.K., O.K., rydyn ni i gyd yn gw'bod hynna, ond alli di ddim cerdded o gwmpas y lle fel hufen yr ysgol 'ma bellach, mae'n rhaid i ti dderbyn dy fod ti wedi mynd i lawr yn y byd 'ma.'

'Dw i'n mynd i gael cinio a chwilio am rywrai teidi i siarad â nhw.'

'Cer 'te! A phaid â dod ar 'y nghyfyl i 'to os nad yw dy dymer di'n well.'

'Iawn, eich mawrhydi! Twll tin eich mawrhydi.'

A brasgamodd Rhian at y grisiau cerrig a gwthio'i ffordd trwy blantos dosbarth un a dau oedd yn iard y merched er mwyn cadw'i bag yn y stafell gotiau. Yno, rhwng y rhengoedd bachau, cafodd gip ar Glesni.

'Wyt ti'n dod i ginio, Gles?' gwaeddodd.

'Ydw glei, dw i bron â chlemio fan hyn yn disgwyl amdanat ti.'

'Dere 'te.' A brasgamodd allan a throi tua'r neuadd.

'Hei, arhosa amdana i!' gwaeddodd Glesni, gan orfod rhedeg i ddal i fyny. 'Be sy'n bod arnat ti, dwed?'

'Yr hen Gary dwl 'na'n trio bod yn glyfar 'to.'

'Os yw e'n gymaint o dân ar dy groen di, pam wyt ti'n dal i siarad ag e?'

'Doedd 'na neb gwell ar gael gynne.'

'Dyw hynna ddim yn dweud llawer am stad carwriaeth fawr dy fywyd di,' meddai Glesni, gan wthio'i ffordd i mewn i'r ffreutur.

'Mae 'da fi bethe eraill ar 'y meddwl y dyddie hyn.'

'Mae hynny'n ddigon gwir . . . M! Be ga i heddi . . . tsips a iogwrt, dw i'n credu.'

'Ar yr un plât?'

'Mae rhywfaint o hiwmor ar ôl gen ti, 'ta beth . . . Dere, mae Denzil draw fan'co wrth y ffenest.'

Arweiniodd Glesni'r ffordd. Dilynodd Rhian gyda'i phlatiaid o jips. Nid oedd ganddi ddigon o arian i gael mwy gan mai un cyflog a ddeuai i Lwyn-gwern erbyn hyn.

Eisteddodd y ddwy ar y fainc gyferbyn â Denzil. Dechreuodd Glesni siarad pymtheg y dwsin, ond syllu allan trwy'r ffenestr a wnâi Rhian, gan wthio llond fforc o jips i'w cheg bob yn hyn a hyn.

'Helô. Oes 'na rywun gartre?' meddai llais gerllaw— llais y sawl oedd yn symud ei law yn ôl a blaen o flaen ei hwyneb.

'Sori,' meddai Rhian, gan droi i weld pwy oedd yno.

Roedd Ifan Syfydrin wedi gosod plât ac arno lond whilber o jips ar y bwrdd o'i flaen, ac roedd ar hast i weld pa mor gyflym y gallent ddiflannu. Daeth hanner gwên i wyneb Rhian.

'Shwd wyt ti, 'merch i?' gofynnodd yntau'n garedig rhwng dwy gegaid.

'Go lew.'

'Gobeithio bod gwell hwyl arnat ti na sydd ar y brawd cythrel 'na sy gen ti. Alla i ddim dweud gair wrth hwnnw heddi heb iddo fe gnoi 'mhen i bant! . . . Oes 'na ryw newyddion?' gofynnodd ar ôl dwy gegaid arall.

'Dim . . .'

'O!'

Claddodd Ifan ragor o tsips cyn gofyn, 'Shwt mae dy fam?'

'Lled dda, o be wela i, ond Duw a ŵyr be mae hi'n ei feddwl mewn gwirionedd.'

'Bydde'n dda 'da fi 'tasen i'n gallu gwneud rhywbeth i helpu.'

'Dw i'n gw'bod hynna,' ebe Rhian gan osod ei llaw ar law Ifan a gwenu'n wan arno. Gwyddai mor galon-feddal ac annwyl oedd Ifan yn y bôn, ar waethaf ei ymddangosiad garw a'i siarad prin.

Gwenodd Ifan yn gynnes arni a thynnodd Rhian ei llaw yn ôl. Credodd am eiliad iddi weld mwy na chyfeillgarwch yn y llygaid glas dwfn. Roedd ei ddillad tipyn taclusach yn ddiweddar hefyd, wedi meddwl.

'Am beth y'ch chi'ch dau'n siarad?' gofynnodd Glesni.

'Paid â busnesa,' meddai Rhian gan wthio'i phlât i ffwrdd.

'Wyt ti 'di bennu?' gofynnodd Denzil gan afael yn ymyl y plât.

'Na, fe fydda i'n dechre ar y plât yn y funud.'

'Nefoedd! Lle gysgaist ti neithiwr? Yn y bocs cyllyll?' Cododd Denzil heb aros am ateb a mynd â'r platiau gweigion gydag e.

'Y'ch chi'ch dau'n dod?' gofynnodd Glesni, gan godi i'w ddilyn.

'Ydyn, aros funud,' meddai Ifan gan wthio gweddillion y tsips i'w geg, nes bod ei fochau'n edrych yn debyg i rai pathew.

Gwthiodd y tri eu ffordd allan o'r ffreutur yn erbyn y llif o blant dosbarth un oedd ar eu ffordd i mewn. Cerddodd

41

y tri'n hamddenol heibio i gefn yr ysgol a'r labordai, cyn dod allan ar y teras o flaen bloc C. Roedd Glesni dipyn o flaen y ddau arall wrth iddi geisio dal i fyny gyda Denzil. Roedd llawer o ddisgyblion yn pwyso dros ochr y teras a sŵn annog i'w glywed yn dod o'r iard islaw. Brysiodd Ifan a Rhian ymlaen i geisio gweld dros bennau'r rhai yn y blaen, ond yn ofer.

'Be sy'n digwydd?' gofynnodd Ifan.

'Dilwyn Llwyn-gwern a Phil Post yn cledro'i gilydd,' meddai rhyw lais o'r tu blaen.

'O, na! Dere Rhian,' meddai Ifan, yn awyddus i fynd i achub ei ffrind.

I lawr â hwy i'r iard ac i flaen y cylch o bobl a ffurfiai dalwrn o amgylch y frwydr waedlyd. Tynnu yn siacedi'i gilydd yr oedd y ddau ar y pryd, ond llifai gwaed yn araf o drwyn Dilwyn.

'Dere, Dil, rho glowten i'r cachgi,' ebe llais o'r tu draw i'r cylch, yn uwch na'r anogaeth gyffredinol. Gwyddai pawb pwy oedd y ddau ymladdwr yn ei gynrychioli.

'Hir oes i'r Cyngor!' ebe llais arall.

'Cleren deidi ar ei ên e, gw'boi,' gwaeddodd Wili-bawan.

'Duw gadwo'r Cyngor!'

Ar hyn glaniodd dwrn Phil ym mola Dilwyn a phlygodd hwnnw yn ei hanner fel brwynen cyn ymsythu.

'Yffarn dân, dw i'n dod gyda ti, Dil,' meddai Wilibawan gan ddechrau tynnu'i siaced.

Ond taflodd Dilwyn ei hun ar ben Phil a disgynnodd y ddau ar y llawr, eu breichiau a'u coesau ym mhob man.

Yna'n sydyn, tawelodd y dorf a lledodd y cylch yn gyflym wrth i ddau athro, Bandit a Twm Twm, wthio'u ffordd i'r canol. Dyn tal, llydan oedd Twm Twm. Chwaraeai rygbi i dîm cyntaf y dref tan yn ddiweddar, felly roedd yn bur naturiol mai ef afaelodd yng ngwar Dilwyn a Phil Post, a'u gwahanu'n weddol ddidrafferth, tra aeth Bandit o gwmpas y cylch yn annog pawb i fynd oddi yno.

'A be ydi hyn i gyd?' gofynnodd Twm Twm mewn llais bygythiol.

Ni ddaeth ateb.

'Fel yna mae'i deall hi, ie? Wel, does dim ond un peth amdani felly. Dowch chi Philip at y prifathro efo fi ac mi aiff Mr Edwards fan hyn â chi Dilwyn i'r stafell feddygol i gael cip ar y trwyn 'na.'

Ac felly y bu.

Ymhen hanner awr, roedd fersiwn tipyn glanach a thaclusach o Dilwyn yn sefyll y tu allan i ddrws ystafell y prifathro. Yr ochr arall i'r drws roedd Phil Post o flaen ei well. Gallai Dilwyn glywed llais y prifathro ond ni fedrai ddeall yr hyn yr oedd yn ei ddweud. Bob yn hyn a hyn, clywai ddistawrwydd o du draw'r drws. Un ai yr oedd Phil yn siarad â llais isel iawn, ynteu nid oedd yn ateb o gwbl. Ar ddiwedd un o'r cyfnodau hyn o ddistawrwydd, clywodd Dilwyn sŵn rhyfedd, bedair, pump . . . hyd at ddeg o weithiau. Yna taflwyd drws yr ystafell ar agor, a chlywodd Dilwyn lais taranllyd y prifathro'n dweud, 'A dydw i ddim am eich gweld chi yma, wedi'ch dal yn ymladd eto. Ydi hynna'n glir?'

'Ydi, syr,' ebe llais tawel Phil Post cyn iddo ddod i'r golwg yn rhwbio'i ddwylo coch yn ei gilydd. Er hynny, sylwodd Dilwyn iddo lwyddo i godi dau fys slei arno cyn diflannu i lawr y coridor. Roedd arwyddocâd y sŵn rhyfedd yn berffaith glir iddo bellach, a daliodd ei wynt gan ddisgwyl yr alwad.

'Dilwyn? Dewch i mewn,' ebe llais o'r ystafell y tu hwnt i'r drws hanner cau.

Aeth Dilwyn i mewn a chau'r drws yn ofalus ar ei ôl, a sefyll o flaen desg y prifathro, ei ddwylo y tu ôl i'w gefn. Dyn tal, awdurdodol oedd y "Prif". Gwisgai ŵn du ac yr oedd gweld dim ond cip o hwnnw o gylch unrhyw gornel yn yr ysgol yn ddigon i ddanfon disgyblion i'r cyfeiriad arall. Ar waethaf hyn, yr oedd ganddo'r enw o fod yn ddyn teg bob amser.

'Wel! Beth yw'ch fersiwn chi o'r stori hon?'

Nid atebodd Dilwyn am ychydig.

'Dewch, grwt! Does gen i ddim prynhawn cyfan i eistedd yma'n disgwyl i chi lunio stori. Mae arna i eisiau'r gwir, dim mwy, dim llai.'

'Roedd e'n 'y mhlagio i, syr.'

'Am beth?'

'Am 'y nhad.'

'Beth yn gwmws ddywedodd e?'

'Galw 'Nhad yn *extremist* a *terrorist* a rhyw bethe fel'ny.'

'Fel beth?'

'Comi, syr.'

'A doeddech chi ddim yn fodlon derbyn hynny?'

'Mae pawb yn gw'bod mai Tori mawr yw Phil a'i rieni.'

'Dyw hynna ddim yn rheswm i'w gledro fe, Dilwyn.'

'Nac yw, syr, ond allai e Phil Post ddim dala cannwyll i 'Nhad, felly . . . yn 'y marn i, doedd gyda fe ddim hawl i ddweud y fath bethe. Dw i'n gw'bod bod 'y nhad yn genedlaetholwr rhonc ond doedd e . . . dyw e ddim yn berson i'w fychanu gan Phil Post a'i debyg.'

'Mi fyddai rhai pobl heddiw yn dweud bod bod yn genedlaetholwr Cymraeg yn gyfystyr â bod yn eithafwr,

44

Dilwyn . . . 'Ta waeth, mae'n amlwg eich bod chi wedi cael eich plagio'n eitha hallt, yn enwedig o dan yr amgylchiadau. Does dim newyddion pellach am eich tad, mae'n debyg?'

'Nac oes, syr.'

'Ond ymladd ydi ymladd. Mae'n bryd i chi dyfu i fyny a dysgu cerdded i ffwrdd oddi wrth y math yma o beth. Mae'n rhaid i mi felly roi cosb i chithau. Rwy'n deall gan Mr Edwards iddo orfod glanhau eich trwyn gwaedlyd; fe gaiff y boen honno fod yn rhan o'ch cosb. Rhowch eich llaw allan i dderbyn y gweddill ohoni.'

Cododd y prifathro ac estyn y wialen oedd yn gorwedd ar draws y ddesg o'i flaen. Glaniodd y pren ystwyth, ir, bump o weithiau ar draws cledr llaw Dilwyn gan ddanfon picellau o dân poeth i fyny'i fraich. Wedi gorffen, dywedodd y prifathro, 'Peidiwch â gadael i'r tymer 'na sydd gennych chi fynd yn drech na chi eto, Dilwyn, tra byddwch yn yr ysgol hon . . . Gyda llaw, glywsoch chi fod 'na ffrwydriadau wedi bod yn Llundain a dwy neu dair o ddinasoedd eraill Lloegr y bore 'ma? Fe fyddai'ch tad yn falch ohonynt . . . Ffwrdd â chi, 'te.'

Wrth gerdded i lawr y coridor, yn gafael yn ei law, penderfynodd Dilwyn beth a wnâi nesaf. Byddai'n dod i gysylltiad â'r Cyngor yn lleol, doed a ddelo, ac yn ei gynnig ei hun at eu gwasanaeth. Onid oedd ei dad i gael gweithredu drostynt, yna fe wnâi yntau yn ei le.

*   *   *

Ar y ffordd adref ar y bws y noson honno, nid oedd Phil Post yn ei sedd arferol. Gwyddai na fyddai llawer o groeso iddo yn y cefn. Eisteddai gyda'r Saeson yn y canol.

'Dere weld y llaw 'na 'to,' meddai Nic.

Tynnodd Dilwyn ei law o'i boced, yn gyndyn braidd. Roedd yn dal yn goch a theimlai'r tân yn dal i losgi ynddi.

'Pump gest ti?' gofynnodd Nic.

'Ie,' atebodd Dilwyn yn swta.

'Haleliwia! Mae'n siŵr bod llaw Phil Post 'run fath â bitrwt 'te! Mi gafodd hwnnw ddeg.'

'Byddai hi wedi gwneud lles i'r cachgi diawl gael cant,' meddai Dilwyn.

'Mae'n sicr yn dangos ei liwie heno, 'ta beth,' ebe Dylan gan edrych i lawr, tua chanol y bws.

Stopiodd hwnnw, a dechreuodd y Saeson lifo o'i grombil. Cododd Phil Post i'w dilyn.

'Be sy'n bod, Phil bach? Ofn cael coten os arhosi di ar y bỳs 'da ni yn lle mynd mas gyda dy gynffonwyr o ffrindie?' ebe llais wedi'i ddieithrio'n fwriadol o'r cefn.

Trodd Phil yn sydyn i weld pwy oedd wrthi, ond roedd pob ceg yn y seddau cefn ar gau a'u perchenogion i gyd yn eistedd yno fel angylion. Doedd ar Phil ofn neb, ond nid oedd arno lawer o awydd mynd i'r afael â blaenoriaid y cefn i gyd gyda'i gilydd. Penderfynodd mai'r cam doethaf fyddai mynd allan o'r bws a cherdded i fyny'r pentref gyda Pete Harrison neu Alan West.

Wrth i'r drws gau, clywodd siant yn codi o gefn y bws, 'Gwynt teg ar 'i ôl; gwynt teg ar 'i ôl . . .'

Ymlaen yr aeth y bws tua'r garej, a dringodd gweddill y llwyth ohono. Casglodd yr efeilliaid ac Ifan eu beiciau a dechrau'u gwthio i fyny'r rhiw.

'Mi fuost yn lwcus i gael dim ond pump,' meddai Ifan. 'Mae'n rhaid fod y "Prif" yn cydymdeimlo rywfaint gyda ti.'

'Wyt ti'n meddwl?' gofynnodd Rhian.

46

'Esgus tila iawn oedd y trwyn 'na.'

Ag un llaw y gwthiai Dilwyn ei feic, gan edrych i'r pellter o'i flaen heb ddweud gair am oesoedd. Yna, wrth iddynt gyrraedd brig y rhiw, dywedodd mewn llais tawel, bygythiol, 'Fe ga i'r diawl 'na ryw ddiwrnod, credwch chi fi.'

'Tyfa dipyn bach gynta, neu cer am wersi karate neu rywbeth. Mae 'da'r Phil 'na freichie octopws,' ebe Ifan.

'Caea dy ben, Syfydrin,' ac i ffwrdd â Dilwyn ar ei feic o flaen y ddau arall.

'Ydych chi'ch dau'n mynd i'r ddawns 'ma nos Sadwrn?' gofynnodd Ifan maes o law wrth i'r beiciau rowlio'n hamddenol tua phentre'r Bont.

'Siŵr o fod, a styried eu bod nhw'n bethe mor brin y dyddie 'ma.'

'Fe roddith Dad lifft adre i chi, siŵr o fod.'

'Be? Wyt ti'n mynd?' gofynnodd Rhian mewn syndod.

'Wel, fel rwyt ti'n dweud, mae'r cyfle'n ddigon prin y dyddie hyn.'

'Be sy'n bod? Wyt ti wedi cael tröedigaeth?'

'Dim byd mor syfrdanol.'

O'u blaenau gallent weld Dilwyn yn pwyso ar y bont dros y nant yn disgwyl amdanynt, felly tawodd y sgwrs.

*   *   *

Roedd Denzil a Glesni yn labswchan ar ganol y llawr yng nghanol dawns gyflym. Crwydrai dwylo Denzil i ble bynnag y mynnent. O'u cwmpas, dawnsiai pawb arall fel pethau gwyllt. Grŵp digon di-glem oedd ar y llwyfan ond doedd neb yn cwyno, a ph'run bynnag, roeddynt wedi cael sesiwn reit hir o ddisgiau da cyn i'r rhain ddechrau.

47

Edrychodd Rhian ar ei wats—hanner awr wedi pedwar. Pwy glywodd erioed am ddawns yn dechrau am hanner awr wedi dau y prynhawn ac yn gorffen am chwech, meddyliodd. Safai'n anesmwyth ar gyrion y llawr, a breichiau Gary wedi'u plethu'n dynn am ei chanol. Teimlai ei wefusau a'i ddannedd yn ymbalfalu o gwmpas ei gwar. Ych a fi, roedd e'n troi arni! Ysgydwodd ei hysgwyddau a gollyngodd Gary ei afael dim ond i gael cydio yn ei llaw a'i thynnu i ganol y llawr. Dawnsiodd y ddau yno am ychydig a Gary'n ceisio dal llygad Rhian. Edrychai hi i rywle heblaw i'w wyneb. Diolch byth ei bod hi'n weddol dywyll yma, meddyliodd.

Yn fuan, daeth y gân a set gyntaf y grŵp i ben. Gwthiodd Gary Rhian o'i flaen, draw at griw'r Penrhyn oedd wedi ymgasglu wrth y llwyfan.

'Dere Ifan, 'sdim pwynt i ti ddod 'ma a dawnsio 'da neb wedyn.'

Roedd Dilwyn yn tynnu coes ei ffrind ynglŷn â merched unwaith eto.

'Ie, dere'n dy flaen,' ychwanegodd Gary, a'i fraich am ysgwyddau Rhian. 'Beth am Wendy Ifans? Roeddet ti'n eitha cyfeillgar 'da hi ar un adeg.'

'Gad dy lap,' atebodd Ifan yn fygythiol.

'Fe gaet ti Rhian 'ma gen i ond mae hi'n rhy bigog heno i neb ei thrin hi heblaw fi.'

'Oho!' ebe Nic o'r cefn yn rhywle, 'Bostio 'to, Jôns.'

'Cer i grafu, Salem, neu cer i chwilio am ddynes.'

'Mae 'da fi un, diolch yn fawr,' ebe Nic gan wyro'i ben at y ferch oedd yn llechu o dan ei gesail.

Ar hyn, dyma'r troellwr disgiau'n cychwyn ar ei ail sesiwn a byddarwyd pawb gan y sŵn a ddeuai o'r amps droedfeddi oddi wrthynt. Dawns araf; suddodd calon Rhian.

Tynnodd Gary hi ar y llawr a rhoi'i freichiau am ei chanol. Cododd hithau'i breichiau'n gyndyn a'u rhoi am ei wddf, ond ni phwysodd ei phen yn ei erbyn fel yn yr hen ddyddiau. Yn lle hynny, cadwodd ei chorff rhag cyffwrdd ag ef ac edrychodd dros ei ysgwydd ar y bobl a ddawnsiai yn eu hymyl. Ceisiodd Gary glosio a chael gwell gafael arni. Llwyddodd i'w gadw hyd braich am dipyn, ond yn y diwedd roedd yn rhaid derbyn ei fod yn gryfach na hi a theimlodd ei gorff yn gwthio'n ei herbyn a'i freichiau'n ei gwasgu fel feis. Teimlodd ei wefusau'n chwilio am ei rhai hi. Ceisiodd droi'i phen, ond roedd ei afael mor dynn fel y llwyddodd y gwefusau i gyrraedd eu nod. Teimlodd ei dafod yn gwthio'n erbyn ei gwefusau caeedig a synhwyrodd fod ei ddwylo'n dechrau crwydro. Am eiliad, cofiodd fel y byddai hyn yn gwneud iddi doddi fel menyn ychydig fisoedd yn ôl. Ond yna, â'i holl nerth, fe'i rhwygodd ei hun o'i freichiau wrth iddi deimlo'r awydd i daflu i fyny'n cryfhau. Ni thorrodd ei afael yn llwyr, serch hynny, a daliodd Gary i gydio'n ei llaw a chael ei dynnu ar draws y llawr y tu ôl iddi. Anelodd Rhian am y drws yn y cefn. Yr oedd hi bron â chyrraedd pan dynnodd Gary ar ei braich a'i throi i'w wynebu.

'Be ddiawl sy'n bod arnat ti?'

'Byddwn i'n meddwl ei bod hi'n ddigon plaen i ddyn dall weld.'

'Gweld be?'

''Mod i wedi cael digon arnat ti, Gary Jones. Mae dy syniade di wedi newid . . . a dw i ddim yn licio Sioni-bob-ochr.'

'Sioni *un* ochr ydw i—yr ochr iawn!'

49

'Hy! Rwyt ti'n troi arna i, ti a dy debyg diegwyddor. Dw i ddim yn mo'yn dy weld ti byth 'to. Mae'r cwbl drosodd, wedi 'bennu.'

Am unwaith, roedd Gary'n fud. Dyma'r tro cyntaf erioed i neb ddweud y fath bethau wrtho ac nid oedd yn mwynhau'r profiad o gwbl. Ef oedd wedi gorffen â phob merch yn y gorffennol, unwaith y byddai un arall yn denu'i sylw.

'Paid â dod ar 'y nghyfyl i 'to, na ffonio, na dim,' ebe Rhian, gan wthio heibio iddo.

Ond ni châi ddianc mor hawdd â hynna. Gafaelodd Gary yn filain yn ei braich, a'i thynnu'n ôl.

'O.K., Miss Hoititoiti, os mai fel'na mae hi, diolch byth ddyweda i. Fyddwn i ddim wedi aros mor hir â hyn gyda ti oni bai am beth ddigwyddodd i dy dad . . . ond dyna fe, dyw rhai pobl ddim yn gw'bod sut i dderbyn caredigrwydd yn rasol. Cofia di hynna, 'merch i.'

A chyda hynny, lluchiodd ei braich o'r neilltu a throi ar ei sawdl yn ôl i ganol y dyrfa o ddawnswyr. Teimlodd Rhian iddi gael gollyngdod mawr.

5

Roedd cyfnod swyddogol tymor yr haf wedi hen basio, ond roedd pawb yn yr ysgol o hyd. Yr hyn a wnâi bethau'n waeth oedd bod y tywydd yn chwilboeth, yr haf poeth sych cyntaf ers dros ddeng mlynedd. Ond yr oedd y prif-athro wedi bod yn drugarog wrthynt o leiaf, gan drefnu gwersi yn y bore'n unig a chwaraeon a chlybiau o bob math yn y prynhawn, cyn yr ymarfer milwrol gorfodol.

Nid oedd hynny'n ddigon, serch hynny, i leddfu teimlad pawb eu bod fel anifeiliaid wedi'u cau i mewn. Yr oedd yr athrawon a'r disgyblion ar linyn brau iawn. O'r herwydd, roedd y nifer a gawsai deimlo blas y gansen am ymladd wedi cynyddu'n gyson er y diwrnod y daethai Dilwyn a Phil Post yn gyfarwydd â hi.

Un prynhawn Gwener yn ystod mis Awst, cerddai Dilwyn ac Ifan yn hamddenol braf yn ôl i'r ysgol. Wedi bod yn edrych ar y graffiti yn erbyn y Llywodraeth ar waliau'r castell yr oeddynt. Roedd y ddau yn llewys eu crysau ac nid oedd yr un tei i'w weld yn unman.

Roedd meddwl Dilwyn ymhell. Daethai Ifan yn gyfarwydd â hyn yn ystod yr wythnosau diwethaf. Er trio ganwaith, ni fedrai godi'i ffrind o'r iselder parhaol a'i llethai. Gwyddai Ifan mai colli'i dad oedd y prif reswm dros ei ymddygiad, a'r ffaith nad oedd fawr o ddim y medrai ei wneud ynglŷn â'r peth ar hyn o bryd. Hyd yn oed pe caent wybod yn bendant, fel teulu, ymhle'r oedd ei dad wedi'i garcharu, gwyddai na fyddai unrhyw fodd ei gael oddi yno.

'Wyt ti'n gw'bod be fyddai'n neis nawr?' meddai Ifan o'r diwedd.

'M? Be?'

'Nofio ym mhwll Blaen Melindwr!'

'M! Ie! . . . Wyt ti'n cofio ni'n mynd 'na gyda dy fam, pan oedden ni'n fach, a chael picnic 'na? Ond nefoedd, roedd y dŵr 'na'n oer!'

'Jyst y peth ar gyfer diwrnod fel heddi.'

Tawelodd y sgwrs. Sylwodd Ifan unwaith eto mor dawel oedd y ffyrdd. Ni ddaethai'r twristiaid arferol i'r ardal eleni, gan nad oedd plant yn unman yn cael gwyliau. Ar ben hynny, roedd petrol yn cael ei ddogni, a dim ond rhai pobl mewn swyddi arbennig oedd yn cael mwy na'r lleiafswm. Wel, doedd dim un drwg nad oedd yn dda i rywun, meddyliodd, gan grwydro allan i'r ffordd a rhoi cic i hen dun diod a orweddai yno.

'Faint o'r gloch yw hi?' gofynnodd Dilwyn.

'Ugain munud wedi un.'

'Well i ni 'i siapio hi 'te . . . Dere!'

Dechreuodd Dilwyn redeg i fyny'r ffordd tua'r ysgol, ond cyflymu'i gerddediad yn unig a wnaeth Ifan. Sylwodd wrth basio'r cyrtiau tennis fod Rhian yn chwarae yno, fel arfer, a chododd law arni.

Roedd Rhian wedi bod yno er un o'r gloch ac roedd ganddi sesiwn arall o awr ar ddechrau'r prynhawn. Chwaraeai gyda Janice Mynydd Gorddu gan nad oedd gyda Glesni unrhyw ddiddordeb mewn chwaraeon. Gwell oedd gan honno fod yng nghwmni Denzil.

Canodd y gloch a dechreuodd pawb wasgaru i'w gweithgaredd am y prynhawn. Daeth Biffi allan ar y cyrtiau a chymryd cofrestr o'r rhai oedd yno. Yna rhannodd y criw oedd ganddi yn dri grŵp o wyth. Yn yr ail grŵp yr oedd Rhian, felly rhaid oedd eistedd gyda Janice i ddisgwyl ei thro i chwarae.

'Wyt ti wedi 'bennu gyda Gary?' gofynnodd honno cyn hir.

'Do.'

'Pam, 'te?'

'Dydyn ni ddim ar yr un ochr bellach, os buon ni 'rioed.'

'Digon teg,' ebe Janice gan rolio'i llewys i fyny, codi peth ar ei sgert a gorwedd yn ôl i ddal yr haul.

'Pam wyt ti'n gofyn, 'ta beth?'

'Dim ond meddwl 'mod i wedi'i weld e 'da Llio Bifan yn y dre ddoe.'

'Do wir! Rhyngddi hi a'i chawl, ddyweda i. Mi lapia i e lan mewn papur lliwgar iddi os yw hi'n mo'yn a rhoi rhuban ar y bocs.'

Penderfynodd Janice newid cyfeiriad y sgwrs.

'Glywaist ti am rieni Phil Post?'

'Be amdanyn nhw?'

'Fe fu hi'n ddiawl o gweryl 'na un noson yr wythnos ddiwetha. Mae'n debyg fod pawb ym Maesyfelin yn gallu'u clywed nhw wrthi. Gweiddi mawr, llestri'n hedfan ar hyd y lle ym mhob man, a Phil wedi dianc drwy ddrws y bac . . .'

Ar hyn, tawelodd Janice wrth glywed cerbydau'n rhuo i fyny'r ffordd i gyfeiriad yr ysgol. Taranodd dau jîp milwrol a fan gaeedig i mewn drwy'r clwydi, trwy ganol ceir yr athrawon ac at y drws ffrynt. Neidiodd amryw o filwyr o'r ddau jîp a rhuthro i mewn i'r adeilad. Dilynodd dyn pwysicach yr olwg hwy i mewn drwy'r drws. Gwisgai hwnnw ddillad bob dydd yn hytrach na rhai milwrol.

Beth oedd ar ddigwydd tybed? Dechreuodd Janice symud yn llechwraidd i lawr i waelod y stepiau a chroesi i gysgod clawdd prifet a redai hyd ymyl y maes parcio. Dilynodd Rhian hi. Yr oedd yr wyth ar y cwrt wedi stopio chwarae hefyd, ond nid oeddynt wedi symud gewyn. Roedd tawelwch annaturiol ym mhob man.

'Be sy'n digwydd, wyt ti'n meddwl?' sibrydodd Janice.

'Maen nhw wedi dod i mo'yn rhywun, gei di weld,' atebodd Rhian.

'Wyt ti'n meddwl? Pwy, tybed?'

'Duw a ŵyr.'

'Athro, siŵr o fod.'

'Neu un ohonon ni.'

'Wyt ti'n meddwl?' gofynnodd Janice yn ofnus.

'Paid â phoeni. Dw i ddim yn meddwl bod dy enw di ar eu rhestr nhw.'

'Usht, be oedd hwnna?'

'Chlywais i ddim byd . . .'

Gwrandawodd y ddwy'n astud ond nid oedd unrhyw sŵn i'w glywed heblaw am si'r gwybed o amgylch y clawdd a gwenynen neu gachgi bwm yn hwmian yn rhywle. Roedd y gwres a'r tawelwch yn llethol.

Yna clywyd sŵn drws yn agor a daeth dau filwr i'r golwg, yn cario'u gynnau yn uchel o'u blaenau. Tu ôl iddynt ymddangosodd tri dyn. Dau filwr ac un mewn dillad cyffredin a'i ddwylo mewn cyffion.

'Pwy yw . . . ?' dechreuodd Janice.

'Twm . . . Twm,' meddai Rhian yn araf.

'Pam fe?' sibrydodd Janice eto.

'Duw a ŵyr . . . ond fu e erioed yn un i gefnogi pethe Saesneg.'

Yn sydyn, rhoddodd Twm Twm hergwd yr un i'r ddau filwr bob ochr iddo a dechrau rhedeg tua'r llwyni oedd o flaen yr adran Adfer. Rhuthrodd syniadau trwy feddwl Rhian—i ble y gallai e ddianc? I lawr i'r ffordd fawr? Cael lifft yno? I'r coed ar y bryn gyferbyn? Bydden Nhw'n chwilio amdano. Roedd yn ddyn rhy fawr i gael lle taclus i guddio; ni fedrai ymdoddi i dorf . . .

Torrodd clecian gynnau ar draws ei meddyliau. Gwelodd Twm Twm yn disgyn yn fflat ar ei wyneb i ganol y llwyni rhosod. Teimlodd law yn gafael fel gelen yn ei braich. Trodd mewn arswyd, ond dim ond Janice oedd yno, a dagrau yn cronni yn ei llygaid. Clywodd sŵn y tu ôl

54

iddynt a throdd i weld Biffi'n tywys y chwaraewyr tennis yn frysiog oddi ar y cwrt ac o olwg y milwyr.

Teimlodd Rhian law oer yn cau am ei chalon wrth wylio dau o'r milwyr yn cerdded yn araf tuag at Twm Twm ac yn ei godi gerfydd ei freichiau fel sach o datws a'i lusgo'n ôl tuag at y cerbydau wrth y drws ffrynt. Clywai Rhian sŵn ei esgidiau'n crafu ar hyd y tarmac wrth iddynt ddiflannu o'i golwg y tu ôl i'r fan. Dyna hi wedi gweld rhywun yn cael ei ladd am y tro cyntaf; oerodd drwyddi. Ai dyna fu tynged ei thad? Ailymddangosodd y milwyr a Twm Twm wrth ddrws cefn y fan. Bellach, gallai glywed sŵn griddfan hefyd. Roedd e'n dal yn fyw, o leiaf. Agorwyd drws y fan, a lluchiwyd yr athro'n ddiseremoni i'w chrombil. Caewyd y drws yn glep a diflannodd y cerbydau drwy'r clwydi ac i lawr y ffordd.

Sythodd Rhian o'i chwrcwd a sylweddoli bod dagrau'n llifo'n ddi-dor i lawr gruddiau Janice. Helpodd hi i godi ar ei thraed cyn cerdded yn araf tua'r man lle safai'r fan funud ynghynt. Nid oedd ofn arni bellach. Ni theimlai ddim ond ton o gynddaredd yn codi'n raddol o'i mewn, a muriau oer yn cau am ei chalon.

Ar y llawr, gwelodd ddiferion coch crwn. Syllodd arnynt heb symud gewyn. Yna, teimlodd law ar ei hysgwydd. Trodd ei phen yn araf a gweld bod y prif-athro'n sefyll yn ei hymyl.

'Dewch i'm stafell i am funud,' meddai'n dawel.

Gafaelodd yn ei braich a'i harwain yno.

''Steddwch,' meddai, wrth gau'r drws ar eu holau. 'Mae'n debyg i chi weld y cyfan.'

'Do.'

'Os yw e o ryw gysur i chi, yn ei goesau y saethwyd Mr

Jones, fe fydd e byw. Mi welais i'r cyfan drwy'r ffenestr hon.' Pwyntiodd at y ffenestr y tu ôl i'w gadair.

'Allech chi byth wneud dim i'w rhwystro Nhw?'

'Does gen i ddim grym yn erbyn y Lluoedd Arfog. Ac mae'n rhaid i mi edrych ar eich holau chi i gyd—yn ddisgyblion a staff. Roedd ganddyn Nhw warant, beth bynnag. Fedrwch chi wneud dim yn wyneb warant y dydd-iau hyn. Mae pobl yn diflannu o bob man, bob dydd . . . fel y gwyddoch chi'n ddigon da. Gwell i chi fynd nawr. Mae hi bron yn amser i'r gloch ganu.'

Cododd Rhian.

'Ceisiwch osod y cyfan o'ch meddwl.'

'Anghofia i *byth* be welais i heddi—byth bythoedd.'

Trodd Rhian ar ei sawdl a cherdded o'r ystafell.

*   *   *

Cliriodd Dilwyn a Rhian y llestri swper, a'u golchi. Am y tro cyntaf ers wythnosau roedd yn ymddangos bod Dilwyn wedi dod ato'i hun ryw ychydig wrth adrodd hanes y daith adref ar y bws y noson honno wrth ei fam. Roedd Ifan, mae'n debyg, wedi bod yn bygwth pob math o bethau. Gwyddai pawb fod Ifan a Twm Twm yn dipyn o bartners, a phan glywodd gan Janice am y driniaeth a gafodd yr athro y prynhawn hwnnw, aeth yn gynddeiriog. Bu Rhian a'i mam yn chwerthin, hyd yn oed, wrth wylio Dilwyn yn dynwared ei ffrind.

'Thalith hi ddim iddo fe ddweud pethe fel'na,' meddai eu mam. 'Mae'n siŵr bod 'na glustie ar y bws 'na 'run fath â phob man arall y dyddie hyn.'

'Phil Post i ddechre,' meddai Dilwyn.

'Roedd Janice yn dweud heddi bod rhieni hwnnw wedi

cweryla'n ofnadwy'r noswaith o'r blaen a bod pawb yn y pentre'n gallu'u clywed nhw,' meddai Rhian.

'Dyw hynna'n ddim byd newydd i'r ddau 'na, 'merch i,' atebodd eu mam.

Wedi gorffen â'r llestri, cyhoeddodd Dilwyn ei fod wedi trefnu cwrdd ag Ifan yn y Bont.

'Tria ffrwyno peth arno fe 'te,' meddai ei fam. 'Does arnon ni ddim eisie colli Ifan.'

'Egwyddor yw egwyddor, Mam,' ebe Dilwyn yn gadarn.

'Ond mae sawl ffordd o gael Wil i'w wely, Dil,' oedd yr ateb.

Wedi iddo fynd, eisteddodd y ddwy yn yr ystafell fyw, y naill yn darllen papur a'r llall yn syllu allan drwy'r ffenestr. Roedd tua dwy awr o olau dydd ar ôl, ac er na allai Rhian weld y môr gallai weld yr awyr yn cochi a melynu uwch ei ben wrth i'r haul suddo'n araf tua'i ddyfnderoedd.

Cofiodd mor drawiadol oedd gweld yr haul yn machlud ar fanc Syfydrin, a throdd ei meddwl at Ifan. Mor wahanol oedd ef i Gary; yn gadarn, yn garedig, yn ystyriol, ac yn annwyl hyd yn oed. Sylweddolodd fod ymdeimlad o lonyddwch a hapusrwydd yn llifo drosti. Mor braf fyddai mynd am dro gydag e heno i ben y banc, a dim ond siarad, ac efallai . . . na, roedd y peth yn amhosibl. Fedrai hi byth gwympo mewn cariad â rhywun yr oedd wedi'i nabod ers iddynt ill dau fod yn eu cewynnau.

Torrodd llais ei mam ar draws ei meddyliau, yn gofyn, 'Be sy'n bod, Rhian? Rwyt ti'n dawel iawn heno.'

'Dim byd.'

'Paid â bod yn ddwl. Dw i'n dy nabod di'n ddigon da erbyn hyn i w'bod bod 'na rywbeth yn bod.'

Mewn distawrwydd, cofiodd am yr hyn a welodd y prynhawn hwnnw.

'Fe welais i Nhw'n mynd â Twm Twm, ac yn ei saethu e.'

'O cariad,' meddai ei mam, yn codi a dod tuag ati.

'Na, peidiwch, dw i ddim angen maldod.'

'Byddai'n well 'taset ti'n crio, i' gael e mas o dy system.'

'Cha i byth be welais i heddi mas o'm system.'

Trodd ei mam yn ôl at ei chadair.

'A doedd 'da'r prifathro ddim byd gwell i'w ddweud na sy 'da chi! Wnaeth e ddim codi bys bach i'w rhwystro Nhw.'

'Allai e ddim, Rhian! Mae'n bwysig ei fod e'n aros lle mae e. Unrhyw esgus ac mi fydden nhw'n ei gipio fe a rhoi rhyw Sais yn brifathro arnoch chi, siŵr o fod, ac yn eich gorfodi chi i gael eich gwersi yn Saesneg.'

'Wnes i ddim meddwl am hynna,' meddai Rhian yn araf. 'Ond beth am Twm Twm?'

Nid atebodd ei mam am dipyn. Pliciodd lychyn dychmygol oddi ar fraich y gadair.

'Doeddwn i ddim am ddweud dim nes 'mod i'n siŵr, Rhian . . . a bydd Dilwyn, mae'n debyg, yn grac 'mod i wedi dweud wrthat ti gynta . . . ond dw i wedi clywed rhywbeth am Dad.'

'Beth?'

Ymsythodd Rhian yn ei chadair a phwyso ymlaen tuag at ei mam.

'Mi ges i alwad ddienw echnos yn dweud bod yr holl bobl oedd wedi cael eu cipio, gan gynnwys Dad, wedi cael eu rhoi mewn gwersyll ar gyfer *undesirables* yng ngogledd yr Alban yn rhywle. 'Falle mai fan'ny yr ân nhw â'ch Mr Jones chi . . . Dw i'n siŵr mai rhywun o'r Cyngor oedd ar y ffôn.'

Pwysodd Rhian yn ôl eto ar gefn y gadair, a syllu allan drwy'r ffenestr. Yna edrychodd yn sydyn ar ei wats. Roedd hi o fewn munud neu ddau i naw. Cododd a gwasgu botwm y teledu. Daeth lluniau hysbysebion RTE o Iwerddon ar y sgrin, a chlywyd clep y drws cefn a'r allwedd yn troi yn y clo wrth i Dilwyn gyrraedd adref.

'Noswaith dda,' meddai'r ddynes gyfarwydd ar y sgrin, 'dyma newyddion naw o'r gloch. Y penawdau—ffrwydriadau yn malu llawer o reilffyrdd Prydain; Amnest Rhyngwladol yn dweud bod pum mil o garcharorion gwleidyddol . . .' Bzzzzzzzzzzzzzz! Chwalwyd y llun.

'Maen nhw'n hwyr yn jamio hwn heno,' meddai Dilwyn wrth ddod i mewn a'i ollwng ei hun i gadair.

6

Yr oedd yn noson oer, glir ym Mis Bach. Yn Neuadd y Penrhyn roedd y rhan fwyaf o bobl ifanc y pentref wedi dod ynghyd i un o nosweithiau'r Ffermwyr Ifanc. Ar hyd y blynyddoedd, roedd ieuenctid yr ardal wedi'u hollti'n ddwy garfan, yn bennaf ar sail pa ysgol uwchradd y mynychent. Ond o fewn y chwe mis diwethaf chwalwyd yr hen ffin yn llwyr a ffurfiwyd dwy garfan newydd, y naill yn gefnogol i'r llywodraeth newydd, a'r llall yn fwy beirniadol ohoni. Cymry'n bennaf oedd yn yr ail garfan a dyna felly oedd iaith y grŵp hwnnw, gyda'r ychydig Saeson yn eu mysg yn straffaglu i'w siarad orau y gallent.

Roedd Dilwyn ac Ifan wedi colli'u gêm o dennis bwrdd ac aethant i eistedd a gwylio'u gwrthwynebwyr buddugol yn chwarae yn erbyn Nic a Dylan.

'Pryd ddywedaist ti y byddai dy dad yn dod heibio?' gofynnodd Dilwyn.

'Hanner awr wedi naw—i ni gael bod gartre erbyn y *curfew* deg newydd 'ma. Er, mae hi'n edrych yn noson eitha clir. 'Falle y bydd e'n hwyrach os gallwn ni yrru adre o'ch tŷ chi yng ngole'r lleuad. Gyda llaw, dw i wedi meddwl gofyn i ti ers amser am dy dad . . . Dwyt ti ddim wedi sôn dim yn ddiweddar . . . Y'ch chi wedi clywed rhywbeth?'

'Ydyn. Mae'n debyg bod ei enw e i lawr ar restr yr *undesirables* sydd mewn gwersyll rywle tua Wick yn yr Alban. Fe ddaeth galwad ffôn ddi-enw, wythnose'n ôl. Wnaethon nhw ddim dweud mai eu rhestr Nhw oedd hi ond roedd Mam yn dweud ei bod hi'n eitha siŵr mai dyna beth oedd hi.'

Ar hyn tawelodd Dilwyn wrth weld Gary'n nesu tuag atynt ac yn eistedd ar y gadair wag yn ei ymyl. Nid oedd Gary'n perthyn i garfan y Cymry bellach.

'A sut mae'n Dildo bach ni heno 'te?'

'Teimlo'n sâl, o dy weld di.'

'Yn gymaint o *smooth-talker* ag arfer, dw i'n gweld. Ble mae'r hen hwren 'na o chwaer sy 'da ti y dyddie hyn? Dw i ddim wedi'i gweld hi ers oes Adda.'

Ni sylwodd neb ar yr olwg ddu ar wyneb Ifan.

'Gwylia di beth wyt ti'n ei ddweud am Rhian, gw'boi. Dwyt ti ddim yn deilwng i lyfu'i sgidie hi,' atebodd Dilwyn.

'Byddet ti ddim wedi dweud hynna ddeuddeng mis yn

60

ôl, rhag ofn iddi roi clowten i ti am ddweud y fath beth am ei hannwyl gariad.'

'Dw i ddim yn deall beth welodd hi ynot ti erioed.'

'Donie cudd, 'machgen i, donie cudd. Welais i 'rioed ferch â chymaint o "awydd" â'ch Rhian chi.'

'Caea dy geg, y mochyn!' Ymsythodd Dilwyn wrth droi at Gary a chau'i ddyrnau ar ei lin. Teimlai Ifan ei ddwylo yntau'n ffurfio dyrnau yn ei bocedi.

'Nawr, nawr, paid â gadael i'r gwir dy boeni di.'

Cododd Dilwyn un o'i ddyrnau ond disgynnodd llaw Ifan yn drwm ar ei fraich a'i rwystro.

'Dyw e ddim gwerth y trwbwl, Dil,' sibrydodd Ifan yng nghlust ei ffrind.

'Dyna ti, Dil bach. Gad ti i Mami edrych ar dy ôl di—a sychu dy din di,' ebe Gary eto a gwên faleisus ar ei wefusau.

'Paid!' sibrydodd Ifan eto, wrth i Dilwyn ymsythu, 'Nid dyna'r ffordd.'

Wedi distawrwydd am rai eiliadau, atebodd Dilwyn mewn llais nad oedd fawr uwch na sibrydiad, 'Cer o 'ma'r bwllwch. Cyn i fi dy ladd di.'

'W! Wedi dod braidd yn rhy agos i'r asgwrn tro 'na, do fe? Ond gair o gyngor cyn i fi fynd—paid â gwneud bygythiade fel 'na'n gyhoeddus 'to. Alli di byth fod yn rhy siŵr pwy sy'n gwrando.'

Estynnodd ei law a dangos bod pawb yn yr ystafell bellach yn edrych ac yn gwrando arnynt. Cododd wedyn a chamu'n hyderus draw at y grŵp o Saeson oedd yn chwarae dartiau. Dilynwyd ef gan ei gynffonwyr tra sleifiodd y gweddill i'r un gornel â Dilwyn ac Ifan.

'Paid â gwrando ar yr hen sholen,' meddai rhywun.

'Gwenwyn yw'r boi 'na, a dim arall.'

'Sarff.'

Dechreuodd Dilwyn ymlacio wrth gael ei gefnogwyr o'i gwmpas. Ar hynny, ymddangosodd wyneb tad Ifan yn y drws.

'Dere,' meddai Ifan a'i law yn dal ar fraich Dilwyn, 'mae Dad wedi cyrraedd.'

Cododd y ddau a ffarwelio â'u ffrindiau cyn camu tua'r drws.

'*Chicken! Chicken! Chicken!*' oedd y llef a gododd o gornel bellaf yr ystafell.

Stopiodd Dilwyn, ond gwthiodd Ifan ef o'i flaen ac allan drwy'r drws. Dringodd y ddau i Land Rover Syfydrin heb ddweud gair.

Wedi mynd i ben uchaf y pentref heb i neb ddweud gair gofynnodd tad Ifan, 'A be sy'n eich pigo chi'ch dau 'te?'

'Gary Jones wedi bod yn plagio Dilwyn,' oedd ateb Ifan.

'Cymer di ofal o hwnna,' meddai Mr Williams gan droi a rhoi cip ar Dilwyn yn y cefn. 'Mae 'i dad e'n *Special Constable* erbyn hyn. Duw a ŵyr pa ddrwg y gallai e'i wneud i ti 'tase fe'n mo'yn.'

'Mae e Gary wedi ymaelodi â'r ATC yn yr ysgol hefyd.'

'Pwy feddylie—yr Army Training Corps yn eich ysgol chi o bob man. Mae'n siŵr ei fod e'n dân ar groen tin y prifathro 'co sy 'da chi. Ond 'na fe, be all e'i wneud yn wyneb eu deddfe Nhw?'

Gyda hyn, trodd Mr Williams drwyn y cerbyd i fyny'r rhiw at gartref Dilwyn a bu tawelwch hyd nes iddo stopio y tu allan i ddrws ffrynt Llwyn-gwern.

Llusgodd Dilwyn ei hun o'r cefn wrth i'w fam agor y drws. Camodd Mr Williams yntau o'r cerbyd ac estyn bocs o'r cefn a'i gario at y tŷ.

'Un neu ddau o bethe i chi oddi wrth Meri 'co,' meddai

62

a gwthio heibio i Marian Dafis a chario'r bocs i mewn i'r gegin a'i osod ar y bwrdd. Roedd ynddo ddwy dorth o fara, ham i'w ferwi ac amrywiaeth helaeth o duniau a phecynnau bwyd o bob math.

'O! John, ddylech chi ddim!' oedd ymateb Marian Dafis.

'Mae mwy o'u hangen nhw arnoch chi nag arnon ni. Allen ni ddechre lladd y defaid 'co os bydd raid.'

Gwnaeth y ddau ymgais dila i chwerthin.

'Wel diolchwch yn dalpe i Meri droson ni 'te.'

'Siŵr o wneud, Marian, siŵr o wneud.' A chyda hynny, gadawodd John Williams Syfydrin y tŷ a brasgamu tua'r cerbyd.

Yr oedd yn noson olau leuad glir o hyd ac felly, er iddo danio'r injan, nid aildaniodd oleuadau'r Land Rover, dim ond troi ei drwyn i lawr y rhiw.

'Gobeithio y byddan nhw'n iawn fel'na heb ole,' medd-ai ei fam wrth Dilwyn.

'Mi gyrhaeddai Mr Williams adre a'i lyged ar gau, Mam.'

*   *   *

Edrychodd Dilwyn arno'i hun yn y drych. Estynnodd grib o'i boced a cheisio rhoi trefn ar ei wallt. Meddyliodd fod angen ei dorri wrth roi'r grib yn ei hôl a sythu ychydig ar ei dei glas a gwyrdd. Y! Sylwodd yn sydyn ar bloryn pen gwyn yn y plyg rhwng ei drwyn a'i foch.

'Wel! Wel! A 'drychwch pwy sy 'da ni fan hyn! Yr enwog DD—Draft Dodger—ei hun. Cariad pob Comi a Nash yr ochr 'ma i Glawdd Offa, boed e'n ddyn neu'n ddynes.'

Gwthiodd Dilwyn ei ddwylo'n ddwfn i'w bocedi a chymryd anadl ddofn cyn troi i wynebu Gary Jones.

'A beth sy'n dod â thi i le fel hyn? Wyddwn i ddim fod nadroedd yn pisio a chachu.'

'W! Iaith, Mr Dafis, iaith! Meddwl oeddwn i fod pobl 'run fath â ti, rwyt ti'n gweld, bob amser i'w cael mewn tai bach—cachgi yn y cachdy, fel petai.'

'Mae'n ddrwg 'da fi nad oes gen ti ddim byd gwell i'w wneud, Gary, na'm dilyn i o gwmpas y lle, ond *mae* gen i.'

Gwyddai Dilwyn ei bod yn rhaid iddo gadw'i dymer, beth bynnag a ddywedai'r cythraul hwn. Roedd yn amlwg fod rhywbeth y tu ôl i'r holl siarad a herio yma, fel y dywedodd tad Ifan wrtho. Doedd dim ond deuddydd er yr olygfa honno yn y clwb Ffermwyr Ieuanc. Ceisiodd gerdded heibio i Gary tua drws y toiledau, ond camodd hwnnw'n gyflym wysg ei ochr a chafodd Dilwyn ei fod rhyngddo a'r drws.

'Nawr, nawr, beth yw'r gwylltu sy arnat ti? Welais i 'rioed mohonot ti ar hast i fynd i wers o'r blaen.'

'Mynd i weld Dai Togs ydw i, ynglŷn â'r gêm rygbi 'na 'fory.'

'Does 'na ddim gêm nos 'fory.'

'Oes! Dyna ddangos cyn lleied wyt ti'n ei w'bod am beth sy'n mynd 'mlaen yn y lle 'ma.'

'Byddet ti'n synnu faint dw i'n ei w'bod am bawb a phopeth. Mae'n siŵr 'mod i'n gw'bod mwy na ti, er enghraifft, am dy chwaer.'

'Paid â *dechre* ar y testun 'na 'to.'

'Pam? Ddim yn licio'r gwir pan glywi di e.'

'Edrych 'ma gw'boi,' roedd dwylo Dilwyn allan o'i bocedi bellach, 'dyweda di un gair arall am Rhian ac mi ladda i di, fel y dywedais i'r noswaith o'r blaen.'

'Waeth i ti dderbyn mai hen hwren yw hi—mi brofith 'ny cyn hir i ti 'fyd.'

Torrodd y llinyn brau a fu'n cadw rheolaeth ar dymer Dilwyn. Gafaelodd yn Gary gerfydd ei wddf a'i wthio yn erbyn un o waliau'r toiled. Trawodd ef sawl gwaith yn erbyn y wal a theimlai ei ddwylo'n tynhau am y gwddf main bob tro. Dechreuodd yr wyneb o'i flaen gochi fwyfwy. Trawodd y pen yn erbyn y wal eto ac eto ac eto. Teimlai nerth anhygoel yn llifo i'w freichiau a'i ddwylo. Mwynhaodd rythm y cnocio ar y wal. Lledodd gwên ar draws ei wyneb. Yna teimlodd ei freichiau'n cael eu rhwygo oddi ar wddf y llipryn o'i flaen. Ymladdodd yn ffyrnig i'w ryddhau ei hun. Suddodd y llipryn i'r llawr.

O'r diwedd dechreuodd Dilwyn ymdawelu.

'Cer i mo'yn rhywun i edrych ar ôl hwn,' ebe llais cyfarwydd y tu ôl iddo, 'a dwed mai fel'na cest ti e, ar y llawr.'

Gwelodd Dilwyn Nic yn diflannu allan trwy'r drws a throdd at Ifan.

'Mi est ti'n rhy bell tro 'na,' meddai hwnnw mewn llais tawel. 'Diolch byth 'mod i wedi yfed gormod o de i frecwast bore 'ma, neu fyddwn i ddim wedi dod 'ma . . . Dere, mae'n well i ni fynd o 'ma, yn glou.'

Ar y bws y noson honno y clywodd Ifan sut yr oedd Gary wedi poenydio'i ffrind hyd nes iddo daro'n ôl.

'Allwn i ddim stopio'n hunan,' meddai Dilwyn yn dawel, 'unwaith roeddwn i wedi dechre.'

'Mae'n dda iawn bod Nic a finne wedi dod 'na 'te. Ble mae e nawr, 'ta beth?'

'Dyw e ddim ar y bws. Roedd ei fam yn disgwyl amdano fe ar ôl yr ysgol,' meddai Nic.

'Hy! Fi-fawr-faglog wedi mynd yn rhy bwysig i fynd ar fws ysgol bellach, yw e?' gofynnodd Dilwyn.

Ar hyn, cyrhaeddodd y bws y garej ym mhen uchaf y pentref. Cododd pawb a symud tua'r blaen.

'Mae'r diawl fan hyn,' meddai Nic, gan bwyntio allan drwy'r ffenestr. Pwysai Gary Jones a'i feic yn erbyn y clawdd.

'Paid ag agor dy ben,' rhybuddiodd Ifan gan afael yn dynn yn ysgwydd ei ffrind. 'Paid â suddo i lefel y cachgi. Does dim eisie i neb arall ddweud dim chwaith.'

Felly allan â hwy heb ddweud gair a cherdded tua'r beiciau yn y cwt. Erbyn iddynt ddod allan, roedd Gary a'i feic ar ganol y ffordd.

'Paid ti â meddwl dy fod ti'n mynd i osgoi cael dy gosbi am be wnest ti heddi, Dilwyn Dafîs. Mi dala i'n ôl i ti, a hynny lot cynt na fyddet ti'n ddisgwyl. Mae 'na lefydd i bobl boncyrs 'run fath â ti!'

Ac ar hynny i ffwrdd ag ef i lawr y rhiw ar wib. Safodd pawb yn stond, yn edrych ar ei gilydd. Roedd pawb yn weddol siŵr y gallai Gary wireddu'i fygythiad, gyda help ei dad. Yn raddol, gwasgarodd pawb a gwthiodd Dilwyn, Rhian ac Ifan eu beiciau'n araf i ben y rhiw cyn dringo arnynt a theithio'n flinedig hyd bentref y Bont, heb ddweud gair. Cadwodd Rhian y tu ôl i'r ddau arall, yn gwylio Ifan o'i blaen. Roedd yn dal yn ansicr iawn o'i theimladau tuag ato ac felly'n swil yn ei gwmni'r dyddiau hyn. Gweddïai nad oedd unrhyw un wedi sylwi ar hynny. Wrth y ciosg stopiodd Ifan.

'Fe fydd raid i ti fynd i gwato am sbel,' meddai.

'Alla i ddim gadael Mam a Rhian ar eu penne'u hunain.'

''Falle mai ar eu penne'u hunain y byddan nhw os na wnei di.'

'Fe a' i i'r gweithie mwyn i guddio os bydd raid. Dw i'n

nabod y twneli 'na'n well na neb ond Dad. Fe guddion ni bapure Dad i gyd yna, fisoedd yn ôl.'

'Cymer ofal, 'ta beth.'

'Fe wna i, paid â becso. Chân Nhw ddim o 'nal i nawr, dw i'n gw'bod gormod.'

Tawelwch am eiliad.

'Hwyl 'te,' meddai Ifan gan estyn ei law.

Chwarddodd Dilwyn chwerthiniad byr, annaturiol.

'Rwyt ti'n swnio fel 'taswn i'n mynd i gael 'y nghrogi.'

'Jest cymer ofal, dyna i gyd. Ac os wyt ti'n mo'yn help byth, rwyt ti'n gw'bod ble i gael gafael arno fe.'

'Ydw, wrth gwrs . . . Hwyl 'te, Ifan.' Ysgydwodd law â'i gyfaill, ac i ffwrdd ag ef.

'Hwyl, Rhian,' meddai Ifan, 'wela i di 'fory.'

'Iawn,' meddai honno mewn llais tawel. 'Gwranda, aros funud. Wyt ti'n credu'i fod e mewn perygl gwirioneddol?'

'Ydw, mae arna i ofn. Tria'i berswadio fe i fynd i'r gweithie mwyn heno.'

'Fe dria i 'ngore . . .'

Bu tawelwch am eiliad.

'Cymer dithe ofal hefyd,' meddai Ifan.

Cyn iddi gael cyfle i'w ateb, roedd wedi mynd. Gwthiodd hithau'i beic yn araf tua gwaelod y rhiw.

*   *   *

Gorweddai Rhian yn ei gwely'r noson honno yn troi a throsi. Ni fedrai beidio â meddwl am Dilwyn i lawr yn y twneli tywyll yna yr oedd hi'n eu casáu gymaint. Roedd y tri ohonynt wedi cael trafodaeth hir y noson honno. Gwylltiodd eu mam yn gacwn gyda Dilwyn ar y dechrau am wneud y fath beth. Ond wedi iddo ef gael cyfle i

egluro, a dweud bod pawb o'r farn fod Gary'n cynllwynio
yn ei erbyn beth bynnag, trodd tymer Marian Dafis yn
ddagrau.

'Pam maen Nhw d'eisie dithe hefyd?' meddai, a dyna hi
wedi dweud beth oedd ar feddwl y tri ohonynt.

'Mae eisie rhywbeth i'w wneud arnyn Nhw os ydyn
Nhw eisie pobl fel fi.'

'Mae hynny'n ddigon gwir,' oedd sylw sych Rhian, ond
ni chwarddodd neb.

Cytunwyd wedyn mai da o beth fyddai i Dilwyn gadw
o'r golwg yn gyfan gwbl am ychydig, a chasglwyd popeth
y byddai'i angen arno i wneud lle gweddol ddiddos iddo'i
hun yn y twneli. Yn ffodus, roedd Marian Dafis wedi bod
yn casglu tipyn o bethau defnyddiol at ei gilydd ers
misoedd, gan fod ganddi deimlad ym mêr ei hesgyrn y
byddai eu hangen ryw ddydd. Os medren nhw fynd ag un
aelod o deulu, beth oedd i'w rhwystro rhag mynd â'r
gweddill? Bu sibrydion hefyd ynglŷn â thorri gwas-
anaethau yn y wlad, a gorfodi pobl i fynd i fyw yn y trefi
a'r pentrefi mwyaf. Roedd unrhyw beth yn bosibl erbyn
hyn.

Cariodd Dilwyn y bocsys allan i'r gwaith mwyn. Pan
oedd wedi gorffen, ac ar fin gadael y tŷ i fynd i'w wâl,
dywedodd ei fam, 'Mae'n well i ti fynd â dy feic, fe allwn i
ddweud wedyn, os bydd rhywun yn gofyn, dy fod ti wedi
gadael ar dy feic tua saith heno, heb ddweud i ble'r
oeddet ti'n mynd.'

'Iawn, syniad da . . . Wel, cymerwch ofal eich dwy. Os
bydda i'n mo'yn rhywbeth, fe symuda i'r potyn blode 'na
sy yn yr ardd . . . 'falle y tria i fynd lan i'r Alban i
chwilio am Dad . . . gawn ni weld. Fe ro i w'bod i chi
beth fydd 'y nghynllunie i 'ta beth.'

68

Yna cofleidiodd pawb ei gilydd, ond cyndyn iawn oedd Marian Dafis i ollwng ei mab i ddüwch y nos. O'r diwedd, llwyddodd Dilwyn i'w ryddhau'i hun, a heb ddweud gair na throi'n ôl i edrych, diflannodd o olau'r drws cefn. Cododd Marian Dafis law dila arno. Sylwodd Rhian fod dagrau'n llifo'n dawel i lawr ei bochau, a theimlodd rai'n cronni yn ei llygaid ei hun. Sychodd hwy'n frysiog â'i llawes, cyn rhoi braich ar draws ysgwydd ei mam a'i throi tua'r stafell fyw.

Trodd eto yn y gwely. Beth ddeuai ohonynt? Roedd bywyd wedi mynd yn galed iawn, gyda dim ond cyflog ei mam yn dod i mewn. Byddai'n rhaid iddi hi adael yr ysgol wedi arholiadau'r haf i chwilio am waith, er y gwyddai y byddai'i mam yn ffyrnig yn erbyn hynny. Ond beth arall fedrai hi ei wneud? Doedd 'na ddim digon o arian i'w cynnal fel yr oedd hi, ac oni bai am garedigrwydd teulu Syfydrin byddai pethau wedi bod bron yn amhosibl. A beth amdani hi ac Ifan . . . ?

Clustfeiniodd, gan feddwl iddi glywed sŵn car. Edrychodd ar y cloc yn ymyl y gwely. Dau o'r gloch oedd hi'n ôl hwnnw. Mae'n rhaid ei bod hi'n dechrau clywed pethau. Doedd neb yn dod i'r cwm hwn am ddau y bore. Yna, estynnodd llaw oer dros ei chalon wrth iddi glywed y sŵn eto, ond yn gryfach y tro hwn.

Rhuodd dau gar i fyny at glwyd yr ardd a sgrechian stopio. Clywodd Rhian ddrysau'n cau a phobl yn rhedeg. Neidiodd o'i gwely a gafael yn ei gŵn gwisgo cyn rhedeg i stafell ei mam. Roedd hithau'n effro hefyd ac wrthi'n cau gwregys ei gŵn gwisgo pan ruthrodd Rhian i mewn.

Erbyn hyn, clywent sŵn dyrnu ar y drws ffrynt.

'Fe fydd raid i ni agor iddyn nhw,' meddai ei mam gan afael ym mraich Rhian a'i thywys i ben y grisiau.

69

'Agorwch, yn enw'r Llywodraeth!' oedd y waedd a ddeuai i'w cyfarfod i fyny'r grisiau.

Brysiodd y ddwy tua'r drws rhag ofn i'r dyrnau ei falu, mor chwyrn oedd eu hymosodiad arno.

Prin bod llaw Marian Dafis wedi dechrau troi'r glïced pan agorodd y drws led y pen a rhuthrodd dynion i mewn a'u gwthio'n erbyn y wal wrth fynd heibio iddynt. Cyneuwyd pob golau yn y tŷ. Clywai'r ddwy oedd wedi'u parlysu yn erbyn y wal ddrysau'n agor, dodrefn yn cael eu troi, pethau'n cael eu torri—bang! bang! bang! Adwaenai'r ddwy sŵn bob drws a gallent ddychmygu'r hyn oedd yn digwydd ym mhob ystafell. Clywsant wydr yn torri yn ystafell Rhian, ond yn ystafell Dilwyn y buont hwyaf.

Rhoddodd Marian Dafis ei braich am ysgwydd ei merch ond ni symudodd yr un o'r ddwy er bod gwynt iasoer yn chwyrlïo heibio iddynt drwy'r drws agored.

Yn raddol, tawelodd y sŵn a dechreuodd y dynion grynhoi wrth waelod y grisiau. Camodd un ohonynt yn awdurdodol tuag at y ddwy wrth y drws.

'Ble mae'ch mab, Dilwyn Davies? Mae gen i warant i'w arestio yn y fan yma am geisio llofruddio un o'i gyddisgyblion yn yr ysgol.'

'Fe aeth e o 'ma heno.'

'I ble?'

'Dw i ddim yn gw'bod. Mi aeth â'i feic, dyna i gyd dw i'n gw'bod. Roedd e'n gwrthod dweud mwy.'

'Phillips, 'drychwch am y beic—*racer* arian yw e.'

Diflannodd un o'r dynion allan trwy ddrws y cefn. Safodd pawb mewn distawrwydd llethol, yn disgwyl iddo ddychwelyd.

'Wedi mynd, syr,' oedd ei ateb pan ddaeth yn ôl. 'Dim ond beic y ferch sy 'na.'

70

'Yr euog a ffy felly,' meddai'r arweinydd. 'Ond peid-iwch chi â phoeni, fe fyddwn ni'n ôl, ac yn ôl, ac yn ôl, nes cawn ni afael ar y snichyn bach.' A chyda hynna, allan â hwy i gyd i'w ceir a diflannu i dywyllwch y nos. Sylwodd y ddwy am y tro cyntaf ar y plu eira mân ar y mat wrth y drws. Caeodd Rhian y drws yn glep a'i gloi a'i folltio'n gadarn, cyn dilyn ei mam i'r ystafell fyw. Edrychai'r lle fel pe bai corwynt wedi pasio drwyddo. Safodd y ddwy yno'n edrych o'u cwmpas yn hollol ddiymadferth.

'Geith hwn aros tan 'fory,' meddai ei mam wrth Rhian. 'Does gen i mo'r egni i feddwl amdano fe, heb sôn am wneud dim. Dere i'r gwely.'

Trodd am y drws.

'Ond be am yr eira 'na, Mam? Fe fydd Dilwyn . . .'

Cododd ei mam ei bys at ei gwefusau caeedig. Tawodd Rhian gan feddwl bod ei mam yn dechrau gwallgofi.

'Does neb 'ma, Mam!'

Ysgrifennodd Marian Dafis ar ddarn o bapur a gipiodd oddi ar y ddesg, a'i basio i Rhian. Un frawddeg oedd arno, yn awgrymu y gallai'r lle fod wedi cael ei fygio gan y dynion tra oedden nhw'n chwilio.

Ymlwybrodd y ddwy i fyny'r grisiau'n araf wedi sicrhau bod pob drws a ffenestr o leiaf wedi cael eu cau a'u bolltio. Tynasant eu dillad yn dynnach amdanynt, wrth i ias oer yr eira y tu allan dreiddio i mewn i'r tŷ. Cusanodd Rhian ei mam a'i gwasgu'n dynn cyn troi tua'i hystafell ei hun. Camodd i'w gwely yn ei gŵn gwisgo gan ei bod wedi oeri trwyddi bellach. Ni chymerodd sylw o'r annibendod ar y llawr lle'r oedd cynnwys ei holl gypyrddau wedi eu gwagio.

Diffoddodd y golau a gorwedd mor llonydd â styllen bren o dan y dillad. Âi ei meddwl yn ôl a blaen dros yr hyn oedd wedi digwydd y diwrnod hwnnw, a thrwy'r adeg, cynyddai'r teimladau o chwerwder ac atgasedd ynddi. O na fyddai 'na rywun yno i roi'i freichiau amdani a gafael yn dynn ynddi, iddi gael teimlo'n saff, a theimlo nad oedd yn colli popeth oedd yn annwyl iddi. Rhywun fel Ifan. Toddodd ei chalon wrth feddwl amdano. Cyrliodd yn belen o dan y dillad; lapiodd ei breichiau amdani'i hunan a chaeodd ei llygaid yn araf.

Ond daeth brawddeg o eiddo'r prif ddyn yn ôl i'w phoeni: "Drychwch am y beic—*racer* arian yw e.' Roeddynt yn amlwg yn gwybod pob manylyn am rywun fel Dilwyn.

7

'Rhian, arhoswch ar ôl ar ddiwedd y wers.'

Teimlodd Rhian bwniad yn ei hochr gan Glesni. Trodd a thynnu wyneb dwl arni.

Canodd y gloch.

'Reit, fe gaiff y gweddill ohonoch chi fynd,' ebe Mr Griffiths.

Cododd pawb a gwthio'u llyfrau i'w bagiau cyn diflannu trwy ddrws y labordy. Taclusodd yr athro ei lyfrau yntau cyn cerdded ar draws yr ystafell at Rhian.

'Be sy'n bod arnoch chi, hogan?' gofynnodd mewn llais blinedig. 'Mae gennych chi'r gallu i wneud yn dda iawn yn yr arholiadau ha' 'ma! Ond dydych chi'n gwneud dim—dim gwaith cartre, dim gwaith yn y dosbarth, dim byd ond breuddwydio. Mi fethwch chi'r pwnc yma a phob un arall os ewch chi ymlaen fel hyn.'

'Dyna fyddech chithe'n ei wneud 'tase cymaint wedi digwydd i chi ag sy wedi digwydd i fi'n ddiweddar.'

'A be ydi hynny?'

''Nhad yn cael ei gipio, 'y mrawd yn diflannu.'

'Doedd gan eich brawd neb ond y fo'i hun i'w feio.'

'Shwd y'ch chi'n gw'bod? Oeddech chi yna ar y pryd? Nac oeddech! Felly peidiwch â siarad am rywbeth na wyddoch chi ddim byd amdano fe.'

Cododd Rhian a throi i fynd allan.

'Rhian! Eisteddwch!'

'Dw i ddim am aros fan hyn i wrando arnoch chi'n pardduo 'nheulu i,' ac i ffwrdd â hi am y drws.

'Rhian! . . . Rhian!'

Ond cau'n glep a wnaeth y drws yn wyneb Mr Griffiths. Ochneidiodd yntau cyn troi'n ôl at ei ddesg. Tu allan, arhosai Glesni'n amyneddgar am ei ffrind. Aethant allan i'r iard, a thynnodd Rhian wrth lawes Glesni.

'Dere rownd y cefn, mae Gary ym mhen pella'r teras 'co.'

'Rwyt ti'n gweld y boi 'na yn dy gwsg y dyddie 'ma,' meddai Glesni gan ddilyn ei ffrind o gwmpas cefn y labordai, lle'r oedd tomennydd o eira budr yn dal i aros.

'Mi fyddet tithe 'fyd, o dan yr amgylchiade . . . Be sy 'da ni ar ôl brêc?'

'Chwaraeon! Ych!'

'Diolch byth.'

'Mae'n iawn i ti a dy debyg, sy'n licio bownsio rownd a chwysu'n stecs. Mae gen i lythyr oddi wrth Mam heddi 'ta beth.'

'A beth yw'r esgus y tro 'ma? "Andwyd" arall?' gofynnodd Rhian, gan afael yn ei thrwyn, cyn chwerthin.

73

'Wel, o leia mi wnaeth e i ti chwerthin, am y tro cynta ers wythnos.'

Wedi i Rhian gasglu'i dillad, i fyny â hwy i'r gampfa. Yr oedd Biffi, yr athrawes chwaraeon, yno o'u blaenau. Camodd Glesni tuag ati.

'O'n i'n meddwl nad oedd hi'n ddiwrnod gwyrthie! Beth yw'r esgus y tro 'ma, Glesni? Dyw dy fam ddim yn blino sgrifennu'r holl lythyron 'ma, dwed? O, 'na neis, annwyd bach 'to. Sawl un wyt ti wedi'i gael y tymor 'ma, naw neu ddeg? Ffion Puw, bydd dawel! Rwyt ti'n cloch-dar fel clagwydd! Ydi pawb 'ma nawr? Dewis rhydd yw hi heddi.'

'Beth yw'r dewis, Miss?'

'Gewch chi w'bod yn y funud nawr. Newidiwch yn gynta. Haleliwia! Beth *wyt* ti'n galw hwnna, Lowri?'

'Shorts, Miss.'

'Byddwn i'n dweud bod eisie lot o ddychymyg i alw'r rheina'n shorts, a lot mwy o ddefnydd!'

Chwarddodd pawb.

'Mae'r lleill yn y golch, Miss.'

'Welais i neb tebyg i'ch mame chi, dosbarth pump. Maen nhw'n cadw'ch dillad chi yn y peiriant golchi am fisoedd yn ôl beth wela i . . . Pwy sy'n barod?'

'Fi,' gwaeddodd Rhian.

'Y dewis yw pêl-rwyd, badminton neu gadw'n heini.'

'Badminton, os gwelwch yn dda.'

'Gyda phwy?'

'Janice, Lowri a Liz.'

Nhw oedd y pedair fyddai bob amser yn chwarae gyda'i gilydd.

'Ry'ch chi'n gw'bod lle mae'r offer.'

Brysiodd Rhian i'r cwpwrdd i mofyn pedair raced a'r plu pwrpasol, ac i ffwrdd â'r lleill i godi'r rhwyd yn y gampfa. Pan gyrhaeddodd Rhian, roedd y drws ochr yn gilagored a dau o fechgyn y chweched isaf yno'n disgwyl.

'Dewch 'mlaen, welith hi mohonon ni os caewch chi'r drws. Rhian, caea'r drws 'na,' meddai un ohonynt, Dylan Wyn.

'Na, dy'ch chi ddim yn cael chware,' atebodd hithau.

'O, dere 'mlaen Rhian!' ebe Liz, oedd wedi bod yn llygadu Dylan ers misoedd ond heb lwyddo i wneud argraff arno hyd yma.

'Pwy sy'n mynd i wneud lle iddyn nhw 'te?' gofynnodd Rhian.

'Gŵ-on Lowri, Janice. Wneith Rhian a fi newid 'da chi wedyn,' meddai Liz.

'Na wna i,' meddai Janice, 'rho dy le dy hunan iddo fe os wyt ti mor awyddus.'

Ar hyn, agorodd drws yr ystafell newid.

'A beth y'ch chi'n feddwl y'ch chi'n 'i wneud, Dylan Wyn?' taranodd Biffi. 'Allan o 'ma'r eiliad 'ma, cyn i fi gael gafael arnoch chi.'

Roedd hynny'n ddigon o fygythiad i unrhyw un yn yr ysgol ac allan ag ef a'i ffrind, yr un ffordd ag y daethent i mewn.

Cododd Lowri a gafael yn y raced a adawyd ar ôl, wrth i Biffi gloi'r drws allanol a mynd i mofyn rhywbeth o'r storfa.

'Hen bitch,' meddai Liz.

'Ti yw'r bitch,' meddai Lowri, wrth gymryd ei lle ar y cwrt, 'unrhyw beth i gael dy big i mewn 'da Dylan Wyn.'

'Dw i ddim yn deall be wyt ti'n weld ynddo fe 'ta

beth—dwy lath o ddim byd a llond pen o flawd llif,'
meddai Rhian.

'Jest am dy fod ti'n anti-dynion y dyddie 'ma,' meddai
Liz.

'Mi ddywedwn i fod galw Gary Jones yn ddyn yn bod yn
hael iawn,' atebodd Rhian, yn ofalus.

'Miaw!' ebe Liz, gan wneud wynebau ar y ddwy yr ochr
draw i'r rhwyd.

'Wyt ti eisie chware 'da ni neu beidio?' gofynnodd
Janice.

'Ydw,' ebe Liz yn bigog.

'Wel caea dy geg 'te,' meddai Rhian, gan ddyrnu'r
bluen i'w chyfeiriad.

Aeth y gêm yn ei blaen hyd ddiwedd y wers heb i neb
ddweud dim heblaw'r sgôr.

*   *   *

Araf iawn oedd Rhian ac Ifan yn cerdded i fyny'r rhiw rai
nosweithiau'n ddiweddarach. Heb yn wybod i'w gilydd,
roedd y ddau am i'r siwrnai barhau mor hir ag oedd yn
bosibl. Trwy lwc, roedd yn noson braf, felly gallent
loetran heb ymddangos yn amheus. Hyd yn oed wedi
cyrraedd pen y rhiw a throi i lawr tua phentre'r Bont,
daliodd y ddau i wthio'u beiciau. Cymerodd hanner awr
iddynt gerdded cyn belled â'r bont ar waelod y pentref.
Siaradent am yr ysgol, am Dilwyn, am unrhyw beth ond
am yr hyn oedd ar eu meddyliau, sef eu perthynas nhw eu
dau.

Wrth y bont stopiodd Ifan a gosod ei feic i orffwys yn
erbyn y wal. Cerddodd i lawr at y nant ac eistedd ar ei
glan. Dilynodd Rhian ef. Dechreuodd Ifan daflu cerrig i'r

76

dŵr, gan geisio'u cael i dasgu ddwywaith neu dair ar yr wyneb cyn suddo.

Pesychodd Ifan; anesmwythodd Rhian. Ond ni wyddai'r un o'r ddau sut i ailgychwyn eu sgwrs. Pwysodd Rhian yn ôl gan roi'i dwylo ar y llawr y tu ôl iddi. Sylwodd Ifan fod ei llaw o fewn modfedd i'w un yntau. Mor hawdd fyddai ymestyn a gafael ynddi. Ond a oedd ganddo'r wyneb i wneud hynny? Cododd ei law a'i gostwng yn llipa drachefn.

'Wel . . .'

'Be . . .?' meddai'r ddau gyda'i gilydd.

'Ti'n gynta,' meddai Ifan wedyn.

'Na, ti.'

'Na, wir, ti.'

'Doedd 'da fi ddim byd o werth i'w ddweud 'ta beth.'

'Na finne, a dweud y gwir.'

Distawrwydd eto heblaw am sŵn yr afon yn byrlymu dros y cerrig.

Doedd dim amdani felly ond gafael yn ei llaw, meddyliodd Ifan, neu châi e byth wybod. Gwyddai y gallai, mewn un symudiad, ddifetha cyfeillgarwch oes, ond roedd yn chwilio am rywbeth dyfnach erbyn hyn.

Neidiodd Rhian wrth deimlo'i gyffyrddiad a throi i edrych i'w lygaid. Gwenodd yntau'n nerfus, a chwarddodd y ddau yn ansicr.

'Wyt ti'n . . .?' gofynnodd Rhian, mewn llais tawel, gan droi i edrych ar y borfa ond gan adael ei llaw lle'r ydoedd, o dan un Ifan.

'Ydw,' oedd yr ateb syml, didwyll, uniongyrchol.

Teimlodd Rhian y gwasgiad lleiaf ar ei llaw i ategu'r ateb. A dyna hi'n gwybod, o'r diwedd. Symudodd Ifan ac eistedd yn ei hymyl. Rhoddodd ei fraich am ei hysgwydd. Gadawodd Rhian i'w phen orffwyso ar ei ysgwydd, a theimlodd dawelwch a gollyngdod mawr yn llifo drwyddi. Dyma hi wedi cyrraedd ei hafan yng nghanol ei holl drafferthion.

Eisteddodd y ddau yno am amser heb ddweud na gwneud dim ond tynhau eu gafael ar ei gilydd. Roedd hi'n noson braf, yr haul heb ddiflannu dros y bryn eto; dim i'w hatgoffa o newidiadau'r flwyddyn ddiwethaf nac i darfu ar eu hapusrwydd.

Mor braf fyddai cael aros yma, am byth, meddyliodd Rhian, a pheidio â gorfod mynd o'r cwm o gwbl.

Tarfodd llais Ifan ar ei myfyrdod o'r diwedd. 'Pwy fyddai wedi meddwl . . .'

'Neb,' atebodd Rhian. 'Alla i glywed Dilwyn nawr— Be? Chi'ch dau? Peidiwch â bod mor sofft!'

Chwarddodd y ddau ac edrych yn nerfus i lygaid ei gilydd. Teimlent eu bod yn cychwyn ar hyd ffordd hollol wahanol, gan orfod dod i nabod ei gilydd o'r newydd unwaith eto.

Yn araf, tynnodd Ifan Rhian tuag ato. Cyffyrddodd eu gwefusau am eiliad ac yna eto'n hwy, wrth iddynt gau'u llygaid a suddo i ganol môr o deimladau.

Cododd Ifan ei ben ymhen hir a hwyr ac edrych i fyw llygaid Rhian. Gwelodd yno'r hyn yr oedd am ei weld. Gwelodd hithau wên ar ei wyneb, gwên oedd yn cyfleu'r holl gariad a gredai oedd yno. Yna tynnwyd eu gwefusau at ei gilydd eto, ac ni fedrodd hyd yn oed dau hofrennydd a hedfanai'n isel i fyny'r cwm eu gwahanu.

*   *   *

Ymlwybrodd Rhian yng ngolau'i fflachlamp, tua'r gwaith. Ceisiai beidio â rhoi ei thraed ar weddillion yr eira oedd yn dal heb gilio yma a thraw, a gadael olion traed ynddo. Cyrhaeddodd y fynedfa a theimlodd iasau oer yn rhedeg i fyny ac i lawr ei chefn. Roedd yn gas ganddi'r lle ond roedd ei chalon yn ysgafn. Diferai dŵr o'r to ac yr oedd pyllau dŵr a cherrig anwastad ar y llawr ym mhob man. Cododd hwd ei chot dros ei phen fel na redai dafnau dŵr i lawr ei gwar, yna bwriodd ymlaen. O leiaf roedd yn gyfarwydd â'r llwybr i'w gymryd bellach, wedi mwy nag wythnos o fynd a dod. Ond daliai i deimlo bod y waliau'n cau amdani, ac ofnai yn ei chalon y deuai ystlum tuag ati a mynd yn sownd yn ei gwallt. Buasai arni ofn ystlumod erioed er i'w thad ddweud wrthi ganwaith na ddeuent ar ei chyfyl. Wedi iddi gerdded dros ganllath i mewn i'r gwaith, trodd i'r dde, ac yna i'r chwith yn sydyn. Yma, disgynnai'r llawr am ychydig ac yr oedd angen gofal mawr. Arafodd, a stopio wrth iddi feddwl ei bod wedi clywed rhywbeth y tu ôl iddi. Ond na, doedd dim i'w glywed ond dŵr yn diferu.

Wedi cerdded am ryw ugain metr arall gwaeddodd, 'Dil, Rhian sy 'ma.'

'O.K.! Dere'n dy flaen.'

Wedi tro sydyn eto i'r dde, fe'i cafodd Rhian ei hun mewn cornel ryfeddol o ddiddos. Cofleidiodd y ddau ei gilydd, arfer newydd oedd wedi datblygu yn ystod yr wythnos ddiwethaf. Yng ngolau lamp olew, gallai weld bocsys ym mhob man a darnau mân a mawr o blastig drostynt, stôf fechan i goginio, ychydig o lestri, sach gysgu mewn bag bifi mawr coch, potel laeth yn hanner gwag, tuniau bwyd a ches. Crynodd Rhian wrth eistedd ar hen focs gwag oedd yn esgus bod yn gadair.

'Alla i yn fy myw ddod i arfer â'r oerfel yn y lle 'ma.'

'Na finne chwaith.'

'Shwd wyt ti, 'te?'

'Iawn. Beth amdanat ti, mas yn y byd mawr?'

'Dod i ben, ryw siâp. Ond dw i'n dal i ddisgwyl gweld rhywun yn dod rownd bob cornel i 'nghipio i. Dw i wedi stopio mynd i'r dre amser cinio. Dim 'mod i'n teimlo lawer saffach yn yr ysgol.'

'Pwy sy'n teimlo'n saff y dyddie 'ma, Rhian fach?'

Bu distawrwydd am eiliad cyn i Rhian ddweud, 'Mae edrych ar y newyddion o Iwerddon y noseithie diwetha 'ma â'r peiriant newydd 'na roddodd Syfydrin i ni . . . gweld pobl yn cerdded ar hyd y strydoedd heb ofni dim na neb, wedi 'ngwneud i'n eiddigeddus iawn ohonyn nhw.'

'Paid â chodi awydd arna i! Ond mae 'na ormod o bethe i'w gwneud fan hyn. Fan hyn mae'r gwrthryfel, nid fill-tiroedd ar draws y dŵr yn Iwerddon. Be wnaen ni yno, 'ta beth? Fydden ni o ddim gwerth i neb, gan fod gormod wedi dianc 'na'n barod. Mae'r Cyngor yn gwrthod mynd â neb drosodd nawr, 'ta beth, os nad ydyn nhw'n fodlon gwneud rhywbeth i helpu ar ôl cyrraedd—ymgyrchu, casglu arian, helpu Amnest Rhyngwladol a phethe tebyg.'

'Ble gythrel wyt ti'n clywed hyn i gyd, lawr yn y twll du 'ma drwy'r dydd?'

'Mae 'da fi fy ffynonelle.'

'Pwy?'

'Alla i ddim dweud 'na, hyd yn oed wrthot ti.'

'Wyt ti wedi ymuno â'r Cyngor 'to 'te?'

'Ddim 'to. Ond dw i'n credu y ca i cyn hir.'

'Os wnei di ymuno â nhw, fe fydd pethe'n fwy peryglus byth i Mam a fi.'

'Fydd neb yn gw'bod, Rhian. Does neb yn dod i w'bod. Mae 'na bobl wyt ti'n eu gweld bob dydd sy'n perthyn i'r

80

Cyngor, dim ond bod neb yn gw'bod hynny. 'Ta beth, unwaith y bydda i wedi ymuno â nhw, fe alla i ddweud ta-ta wrth y twll 'ma. Fe gân nhw afael ar rywle gwell i fi, siŵr o fod. Dipyn mwy anghysbell na'r lle 'ma, 'ta beth.'

'Byddai'n dda gen i 'taswn i'n gallu penderfynu beth i'w wneud. Dw i ddim yn ffansïo gorfod gadael yr ysgol yn yr haf a mynd i weithio.'

'Pam wyt ti'n mo'yn gadael?'

'Dim mater o fod yn mo'yn yw e. Gyda phrisie popeth yn codi fel maen nhw, a'r sôn 'ma o hyd am symud pobl i'r trefi a'r pentrefi o'r wlad, fe fydd raid i ni gael cyflog arall i dalu am le i fyw. Dyw cyflog Mam ddim yn ddigon i ni ar hyn o bryd.'

'Fe ddylai fod un geg yn llai i'w bwydo 'da chi erbyn hynny.'

'Dw i ddim yn gweld hynny'n fy achub i rywsut. Ond Duw â ŵyr lle cawn i waith. Maen nhw'n dweud mai dim ond y bobl sy'n "dderbyniol" gyda'r awdurdode sy'n cael gwaith. Dw i ddim yn credu 'mod i'n ffitio i'r dosbarth 'na, wyt ti?'

'Gan dy fod ti'n perthyn i Dad a fi, nac wyt!'

'Wel, os na cha i waith dw i ddim yn gw'bod beth wnawn ni. Allen ni ddim byw mewn lle ar rent yn y dre 'co ar ddim ond cyflog Mam.'

'Dyw Syfydrin ddim yn dal i'ch helpu chi?'

Cochodd Rhian at fôn ei chlustiau a diolchodd ei bod yn weddol dywyll yn y gilfach.

'Ydyn wrth gwrs, ond mae 'na ben draw i bob cardod. Mae 'da ni'n dwy rywfaint o hunan-barch cofia!'

'Oes, debyg iawn.'

Bu tawelwch am ychydig. Cynigiodd Dilwyn gwpanaid o goffi i'w chwaer a phenderfynodd hithau dderbyn, gan roi cyfle iddi olrhain rhai o glecs yr ysgol. Ond nid oedd am sôn am Ifan eto. Eu cyfrinach hwy oedd hynny, am dipyn, 'ta beth. Yna, penderfynodd ei bod yn bryd troi am adref.

'Hwyl, wela i di nos 'fory, siŵr o fod, ar ôl Mam, fel arfer.'

'Hwyl!'

Trodd Rhian allan i'r lefel ac i'r chwith a dechrau dringo'n araf. Baglodd dair gwaith ar y cerrig llai na fedrai'u gweld yn glir yng ngolau'r fflachlamp. Cwympodd ar ei gliniau y trydydd tro a disgynnodd y lamp o'i llaw; yn ffodus, roedd y golau'n dal i losgi. Llwyddodd i'w hachub er bod ei gwaelod mewn pwll o ddŵr. Cododd a cherddodd yn ei blaen. Teimlai'r gwlybaniaeth oer yn lledu drwy wead ei throwsus wrth iddi droi i'r dde a'r chwith. Gallai weld mynedfa'r gwaith bellach wrth i olau gwan y lleuad ei goleuo. Mae'n siŵr y byddai'n rhewi'n gorn heno eto, meddyliodd. Daeth allan i'r awyr agored. Tynnodd anadl ddofn. Roedd cyrraedd yr wyneb bob amser yn ollyngdod mawr iddi. Edrychodd i lawr dros y cwm a gweld rhimynnau arian dwy afon rhyngddi a'r môr. Cuddiai nos fel hyn olion popeth oedd wedi digwydd yn y flwyddyn ddiwethaf. Gallai lithro'n ôl i'r hen fyd pan safai yma bob nos. Ond heno roedd hi'n rhy oer i sefyllian. Bron na fedrai deimlo godre'i throwsus yn rhewi amdani. Tynnodd ei chot yn dynnach amdani, diffoddodd y fflachlamp a'i gwthio i'w phoced. Brasgamodd i lawr y llethr tua'r tŷ.

Stopiodd yn stond wrth gyrraedd glan llyn y gwaith. Gallai weld adlewyrchiad o'r lleuad yn nho car tywyll ei liw oedd wedi'i barcio y tu allan i glwyd y tŷ. Roedd wedi ei pharlysu. Ni fedrai symud gewyn. Teimlai fel pe bai dwylo rhewllyd wedi gafael ynddi gerfydd ei gwddf. Safodd yno'n hir, yn gwneud dim ond edrych ar y car. O'r diwedd, penderfynodd fod raid iddi wneud rhywbeth. Ymlwybrodd yn ofalus yn ei blaen, gan geisio cofio lle'r oedd y tyllau gwaethaf rhyngddi a'r tŷ. Cwympodd i un a throi ei throed. Teimlodd nodwydd o boen poeth yn saethu at fysedd ei throed ac i fyny at ei phen-glin. Plygodd ei choes a gafael yn y bigwrn. Teimlodd bigau o boen yn ymledu trwyddo a cheisiodd ei rwbio'n dyner. Bu'n rhaid iddi aros ychydig cyn medru rhoi'i phwysau ar y droed, wedyn herciodd yn ei blaen.

Cyrhaeddodd y wal uchel yng nghefn y tŷ. Cododd ei throed boenus oddi ar y ddaear. Nid oedd pobl i'w gweld yn unman ac nid oedd golau i'w weld chwaith. Yna clywodd sŵn yn y tŷ, yn y llofft. Ond yr oedd yno fwy na sŵn un person yn symud o gwmpas. Beth oedd yn digwydd? Oedden nhw wedi dod i gipio'i mam hefyd? Byddai'n rhaid mynd i mofyn help Dilwyn. Ond na, fe fyddent yn ei gipio yntau wedyn! Byddai'n colli pawb. Safodd yn ddiymadferth yn y tywyllwch a dagrau'n cronni yn ei llygaid wrth iddi sylweddoli na fedrai hi wneud dim i helpu'i mam heblaw mynd i mewn i'r tŷ. Ond roedd ei thraed yn rhy drwm iddi eu codi wrth iddi glywed y sŵn rhyfedd yn dal i ddod o'r tŷ—sŵn symud a lleisiau isel yn gymysg â'i gilydd. Roedd dwylo rhewllyd ofn yn dal i afael ynddi gerfydd ei gwddf a'i chalon, a theimlai ei cheg yn sych.

Yna, o'r diwedd, clywodd sŵn traed yn dod i lawr y grisiau: sŵn siarad tawel, sŵn rhywbeth yn cael ei gicio, yna distawrwydd llethol am ennyd cyn clywed sŵn traed ar y llwybr gro o flaen y tŷ. Herciodd i flaen y tŷ. Gwelodd ddau ddyn yn dynesu at y car ac un ohonynt yn tynnu'i gôt amdano gan chwerthin yn braf. Gyrrodd y chwerthiniad hwnnw iasau i lawr cefn Rhian. O gysgod wal y tŷ gwyliodd y ddau ddyn yn dringo i'r car, yn ei danio ac yn gyrru i lawr y cwm. Arhosodd nes bod sŵn y car wedi mynd yn llwyr cyn camu'n ofalus allan o'r cysgodion a dringo dros reilin yr ardd a cherdded tua'r drws ffrynt. Roedd hwnnw'n deilchion ar lawr.

Gwthiodd heibio i'w weddillion. Cymerodd gip yn yr ystafell fyw. Yr oedd yr holl waith tacluso a wnaethai'r ddwy wedi ymweliad diwethaf yr heddlu cudd wedi mynd yn ofer. Safai tomennydd o weddillion celfi ym mhob ystafell. Dod yma i falurio a difrodi a wnaethant y tro hwn, nid i chwilio.

Teimlai Rhian fel pe bai mewn llesmair, wrth sefyll ar waelod y grisiau. Teimlai'n oer drwyddi; llifai chwys oer ar ei thalcen a'i chefn. Gallai glywed sŵn griddfan isel yn dod o'r llofft ac yn atseinio y tu mewn i'w phen. Deuai awel oer y noson rewllyd trwy'r drws a chwarae ar ei gwegil.

Rhedodd i fyny'r grisiau ddau ar y tro gan ddynesu at y golau a'r griddfan a ddeuai o ystafell wely ei thad a'i mam. Gwichiodd un o'r preniau o dan y carped. Peidiodd y griddfan. Camodd Rhian i'r ystafell.

Eisteddai rhywun ar erchwyn y gwely. Trodd ac edrych yn wyllt i gyfeiriad Rhian. Arswyd pur oedd yn y llygaid a syllai drwyddi heb fedru gweld dim yn glir. Roedd yn ei chofleidio'i hun yn dynn, dynn mewn ofn.

Sylweddolodd Rhian mai ei mam oedd y person dieithr yr olwg. Roedd hi wedi'i cham-drin; ei gwallt yn flêr, gweddillion ei dillad yn garpiau, ei cheg yn gam, un ochr ei hwyneb yn chwyddo, a dagrau'n llifo'n dawel i lawr ei gruddiau. Yr oedd ar Rhian ofn mynd ati. Safodd y ddwy yn eu hunfan, wedi eu parlysu. Yn raddol, toddodd yr arswyd yn llygaid ei mam, ac yn ei le ymffurfiai cyhuddiad o FRAD!

Yn araf, cerddodd Rhian tuag at y gwely, gan estyn ei dwylo. Ond ysgwyd ei phen wnaeth ei mam, gan lapio'i breichiau'n dynnach am ei chorff a dechrau siglo yn ôl a blaen yn yr unfan. Eisteddodd Rhian yn ei hymyl a chri-odd y ddwy, ond heb unrhyw ryddhad.

8

Wythnos yn ddiweddarach, gwthiai Rhian ei beic yn ôl adref i fyny'r rhiw ar ôl diwrnod arall yn yr ysgol. Roedd ŵyna wedi dechrau o ddifri yn Syfydrin, felly nid oedd Ifan yno i gadw cwmni iddi. Ond dyna ni, mae'n debyg na fyddai'n gwneud y siwrnai am lawer hwy.

Meddyliodd beth oedd o'i blaen heno. Rhagor o geisio rhoi trefn ar Lwyn-gwern, ar ei phen ei hun, gan fod ei mam wedi aros i lawr yn y twneli gwaith mwyn er noson yr ymosodiad erchyll arni. Roedd Ifan wedi cynnig ei helpu, ond rywsut roedd yn well ganddi wneud y cyfan ei hun, oni bai am y trwsio, ac roedd Dennis Blackwell drws nesaf wedi bod yn help mawr gyda hwnnw. A dweud y gwir, roedd ef a'i fam wedi bod yn hynod garedig er noson yr ymosodiad, yn cynnig bwyd a help iddi. Ni fu ganddynt fawr o gydymdeimlad â gwleidyddiaeth teulu Llwyn-gwern erioed, ond ni welai'r un o'r ddau unrhyw esgus dros yr hyn yr oedd Marian Dafis wedi'i ddioddef. Heno, gobeithiai Dennis fedru rhoi drws ffrynt newydd iddi yn lle'r hen un. Roedd wedi mynd i drafferth mawr i gael gafael ar un yn y lle cyntaf, ac i'w addasu'n barod i'w osod. Roedd Rhian am danio'r goelcerth a luniwyd o ddodrefn a oedd wedi'u difrodi ac wedi eu llusgo allan i'r tir diffaith y tu cefn i'r tŷ, a cheisio cael trefn ar y gegin.

Roedd hi a Dilwyn wedi cytuno ers dyddiau fod yn rhaid cael y lle yn ôl i drefn a cheisio gwneud i bopeth ymddangos yn normal. Er hynny, roedd wedi cael trafferth mawr i'w gael i feddwl am unrhyw gynllun taclus ar gyfer ei dyfodol hi a'i mam, gan iddo golli'i ben yn llwyr pan ddarganfu beth oedd yr heddlu cudd wedi'i wneud i'w fam.

Gan na fedrai Rhian gael ei mam i symud, na dweud na gwneud dim y noson erchyll honno, roedd hi wedi gorfod mynd yn ôl i'r gwaith a mofyn Dilwyn. Wedi i hwnnw orffen martsio'n ôl a blaen ar hyd yr ystafell wely yn bygwth dial ar bawb a phopeth, llwyddodd y ddau i gael perswâd ar eu mam i ddod gyda hwy i'r ystafell sbâr. Ond ni adawai hi i'r un o'r ddau ei chyffwrdd.

Aeth y ddwy i'r gwely dwbwl yn eu dillad a gorweddodd Dilwyn mewn sach gysgu ar y llawr. Ond prin fu cwsg y tri y noson honno.

Drannoeth, rhoddodd Dilwyn ryw fath o gaead ar y twll a arferai fod yn ddrws ffrynt Llwyn-gwern tra aeth Rhian ati i helpu'i mam i gael bàth. Nid ynganodd ei mam air trwy'r diwrnod hwnnw, dim ond crio o dro i dro, siglo yn ôl a blaen a syllu ar ryw orwel pell na welai neb arall. Ond gadawodd i Rhian ei chyffwrdd a'i sychu'n ofalus, wedi'r bàth. Gadawodd iddi hefyd ddal bag o iâ ar ei llygad ddu fawr oedd yn prysur ddatblygu.

Y noson honno, wedi mynd i lawr i'r gwaith, ac wedi i'w mam syrthio i gwsg tymhestlog iawn, aeth y ddau ati i drafod y dyfodol.

'Edrych Dil, allwn ni ddim cysgu yn y tŷ 'na 'to. Alla i

ddim aros 'na ar 'y mhen fy hunan. A chysgith Mam byth 'na 'to. Ar y llaw arall, all y tri ohonon ni ddim byw fan hyn am byth chwaith!'

'Rwyt ti'n iawn.'

'Dw i'n gw'bod 'mod i'n iawn. Ond be allwn ni wneud?'

Tawelwch am ennyd.

'Os do i byth ar draws y boi wnaeth hyn, mi ladda i e â 'nwylo fy hunan; dim gwn, dim byd ond dwylo rownd gwddw'r cachgi, a gwasgu'r aer mas ohono fe bob yn dipyn bach a gwylio'i wyneb e'n troi'n goch ac yna'n biws, a chwerthin am ben yr ofn yn ei lygaid.' Dangosai Dilwyn â'i ddwylo sut y byddai'n gwneud.

'Dilwyn! Thâl hi ddim i ti fagu breuddwydion fel'na. Ffeindiwn ni byth mas pwy wnaeth e. A welais i mo wyneb yr un o'r ddau, dim ond eu cefne nhw . . . Ond fe gofia i'r chwerthiniad 'na tra bydda i byw.'

'Fi fydd yn chwerthin pan ga i afael arno fe, nid y . . .'

'Dilwyn, plîs! Rho dy feddwl ar waith! Beth ydyn ni'n mynd i'w wneud?'

Wedi meddwl tipyn, atebodd Dilwyn, 'Dw i ddim yn gw'bod, Rhian, dw i ddim yn gw'bod . . . Be wyt ti'n feddwl fyddai ore?'

'Dw i ddim yn credu bod 'da Mam a fi lot o ddewis. Â Mam ddim yn gweithio, does dim arian 'da ni . . . Mae'n rhaid i ni fynd i Iwerddon, Dil. Fe alla i weithio yno dros yr achos, a 'falle y gallan nhw helpu Mam i ddod dros beth ddigwyddodd iddi. Mae hynny'n mynd i gymryd misoedd os nad blynyddoedd.'

Suddodd calon Rhian wrth iddi ddweud hyn. Gwyddai mai dyma'r unig ateb er bod pob owns ohoni am aros gydag Ifan.

'Ond be wnei di?' gofynnodd ymhen ychydig.

'Dw i ar fin cael 'y nerbyn,' a daeth tinc o frwdfrydedd yn ôl i lais Dilwyn, 'ac mae 'na sôn y ca i fynd i'r cyfandir i gael hyfforddiant gwaith radio a chysylltiade.'

'Ond be wnawn ni â Mam yn y cyfamser? Wyt ti'n meddwl y caen ni aros yn Syfydrin?'

O leiaf câi rywfaint o amser yn ei gwmni wedyn.

'Dw i ddim yn siŵr. Fe a' i 'na i ofyn 'fory.'

'Dw i'n siŵr yr âi Dennis â ni yna ar ei . . .'

'Na, dod i lawr i'ch mo'yn chi wnâi Mr Williams, dw i'n siŵr,' ebe Dilwyn gan dorri ar draws ei chwaer.

'Iawn . . . ond sut gallwn ni gael cwch i groesi i Iwerddon.'

'Gad di hynna i fi. Fe wna i'r trefniade 'na i gyd.'

'Reit . . . ond be am y tŷ? Fydd hi'n iawn gofyn i Dennis gadw llygad ar y lle?'

'Allith e ddim gwneud hynny am yn hir eto. Rwyt ti'n gw'bod am y symud pobl 'ma. Fe fydd raid i Dennis a'i fam symud o fewn y mis. Mae 'na sôn eu bod nhw'n mynd i stopio'r cyflenwade trydan i bob man ond pentrefi mawr, trefi a ffermydd.'

'Aen Nhw ddim yn bell iawn heb y rheini. Dyna'r cwbl mae pobl wedi bod yn ei drafod ar y bws ac yn yr ysgol yr wythnos hon. Mae'n debyg bod pobl yn y dre'n codi rhenti uffernol o uchel ar bobl o'r wlad sy'n mo'yn lle i fyw. Mae'n dda bod y Penrhyn yn un o'r pentrefi sy'n cael aros . . . serch 'ny, mi fydd hi'n od mynd trwy'r Bont a'r un enaid byw ar gyfyl y lle. Mae Dei Isaac a'i wraig wedi mynd yn barod, i lawr at y ferch yn Aberteifi. Mae preniau dros ffenestri'r tŷ . . .'

'Oes, mi es i heibio.'

Daliai Rhian i wthio'i beic er ei bod wedi cyrraedd man lle y gallai ei farchogaeth. Daeth ei meddyliau'n ôl i'r

88

presennol ac arhosodd am ychydig ar ochr y ffordd. Gosododd ei beic i bwyso yn erbyn y shetin ac eisteddodd ar ei bag ar y borfa laith yn edrych i lawr y cwm tua'r môr—pentre'r Bont yn hanner gwag bellach, Nant Seilo'n orlawn o ddŵr eira'n toddi, gwaelodion y Penrhyn, tŵr eglwys Llangorwen, a'r môr—y môr rhwng Cymru ac Iwerddon. Pryd fyddai hi'n gorfod croesi'r môr hwnnw? Hyd yn oed pe bai hi'n aros, ymhle y medrai hi fyw? Doedd ganddi ddim perthnasau yn y Penrhyn na'r dref, ac oddi yno byddai'n anodd iawn cael gweld Ifan. A doedd dim lle yn Syfydrin, gan fod y brodyr i gyd yn dal gartref. Mynd fyddai raid. Tybed pa mor effeithiol oedd y post o Iwerddon . . . ? Wel, doedd dim pwynt eistedd fan yma am byth meddyliodd, roedd ganddi lawer o waith i'w wneud heno. Cododd a marchogaeth y beic adref drwy'r coed, trwy ffald Cwm Canol ac ymlaen at y tŷ. Gosododd y beic yn y cwt ac aeth i'r tŷ i mofyn bocs o fatsys ac unrhyw bapur y gallai gael hyd iddo. Yna allan â hi i danio'r goelcerth cyn iddi nosi. Nid oedd am gael honno'n llosgi'n goch yn y nos i dynnu sylw neb.

Ond er trio amryw o weithiau, methiant fu'r cyfan. Roedd y gawod law ddoe wedi gwneud y cyfan yn llaith. Aeth yn ei hôl i'r tŷ a pharatoi tost a chwpanaid o de iddi'i hun. Roedd yn well ganddi fwyta yno nag i lawr yn y gwaith, a chyda lwc, câi gynnig swper heno gyda'r Blackwells.

Aeth i'r ystafell fyw i'w bwyta a gwylio peth o deledu RTE. Rhaglen blant oedd ymlaen. Edrychodd o'i chwmpas. Byddai'n rhaid gorffen tacluso yma heno. Roedd pob man arall wedi dod i drefn erbyn hyn.

Wrthi'n gosod y llyfrau olaf yn eu lle oedd Rhian pan glywodd sŵn beic Dennis Blackwell yn pasio'r tŷ. Aeth allan i'w gyfarfod. Roedd hi'n dechrau nosi bellach, ond gallai weld Dennis yn brasgamu ar hyd y ffordd i'w chyfeiriad, wedi iddo gadw'i feic.

'Shwd wyt ti, Rhian fach?'

'Iawn diolch.'

'Barod am noson o waith fel gwas saer?'

'Ydw i.'

'Dere 'te.'

Ac i mewn i'r tŷ â'r ddau. Tynnodd Dennis yr hen breniau oedd ar draws y twll ar unwaith.

'Os gwnei di ddala'r lamp 'na i fi, a'r deuddeg sgriw 'ma, fe ddown ni i ben â hi whap.'

Gwnaeth Rhian yn ôl y gorchymyn, gan geisio cadw'r lamp i oleuo'r man lle'r oedd Dennis yn gweithio ar y pryd. Ni fu'r un chwinciad yn gosod y colfachau'n sownd wrth ffrâm y drws gyda'i dyllwr trydan.

'Pwysa di yn erbyn y drws 'ma nawr i'w gadw yn ei le,' meddai wedyn wrth godi'r drws oddi ar ei orwedd yn y cyntedd.

Cyn pen dim, crogai'r drws yn ei briod le, ac wedi plamio ychydig ar ei waelod a thynhau ambell sgriw, eisteddai'n esmwyth yn ei le, gan agor a chau heb yr un wich.

'Nawr 'te, y cloeon. Maen nhw yn 'y mag i ar y llawr fan'co.'

Estynnodd Rhian y bag iddo a thynnodd yntau amrywiaeth o gloeon allan.

'Fe rown ni dri fan hyn—clo a dau follt, a dau follt i ti ar y drws cefn 'fyd.'

Pan orffennwyd y gwaith, roedd hi'n tynnu am saith o'r gloch.

'Gymerwch chi ddysglaid o de, Dennis?'

'Mi fydd swper yn barod 'da Mam i ni whap,' oedd ateb Dennis wrth iddo edrych ar ei wats.

'Fydda i ddim eiliad 'da'r te, a dw i'n mo'yn gofyn un neu ddau o bethe i chi 'fyd.'

'Dyna ni 'te. Clatsia di bant.'

Wedi iddynt eistedd i lawr yn yr ystafell fyw, dywedodd Rhian, 'Allwn ni byth aros 'ma dros nos eto, Dennis.'

'O'n i'n amau 'ny, 'merch i. Alla i ddim gweld bai arnoch chi wir. Fyddwn ninne ddim yma'n hir eto chwaith, gyda'r hen ddeddfe newydd ddiawl 'ma.'

'Ble y'ch chi a'ch mam am fynd?'

'Wyt ti'n cofio i fi sôn am chwaer sy gen i yn George Street yn y dre? Wel, dw i am fynd at honno unwaith y bydda i wedi cael trefn ar bethe 'ma. Mae Mam yn mynd i lawr at ei chwaer hithe. Mae 'da hi fwthyn bach yn y Penrhyn ar hewl Bont-goch.'

'Mae Mam wedi gofyn i fi ofyn i chi wnewch chi gadw golwg ar y lle 'ma i ni pan fyddwn ni wedi mynd. Fe gewch chi'r allweddi gen i heno.'

'Popeth yn iawn, 'merch i. Fe fydd raid i fi ddod lan i weld bod ein tŷ ni'n iawn, 'ta p'un. Mater bach fydd hwpo 'nhrwyn mewn fan hyn 'fyd.'

'Fe fydd hi'n od gadael. Dw i wedi byw 'ma erioed.'

'Dw i'n gw'bod 'merch i, dw i'n eich cofio chi'ch dau'n cael eich geni.'

Chwarddodd y ddau'n drist.

'Mae Mam am i chi gael un neu ddau o bethe Dad hefyd, i ddiolch am eich holl help. Maen nhw mewn bocs 'da fi, lan sta'r.'

'Jiw jiw, does dim eisie i chi banso 'da dim byd fel 'na,' gwaeddodd Dennis arni, wrth iddi fynd i fyny'r grisiau.

'Dw i ddim yn mo'yn dim byd. I be mae cymdogion yn dda os na allan nhw helpu mas ar adege fel hyn?'

Daeth Rhian yn ei hôl a rhoi hen focs esgidiau iddo.

'Peidiwch â'i agor e nawr.'

Rhoddodd Dennis ei gwpan ar lawr a chodi.

'Dwed diolch yn fawr wrth dy fam 'te . . . Dere, well i ni'i siapio hi neu mi fydd ein swper ni'n gols.'

'Fydda i 'da chi nawr,' meddai Rhian gan fynd â'r cwpanau i'r sinc i'w golchi.

*　　*　　*

Ddwy awr yn ddiweddarach, eisteddai teulu Llwyngwern yn eu cilfach i lawr yn y gwaith mwyn yn cael cwpanaid o goffi cyn troi am eu sachau cysgu.

'Fe fydda i'n gw'bod mwy am y cwch i Iwerddon cyn hir. Dyna'r unig ffordd i fynd 'na oddi yma. Mae modd croesi i Ogledd Iwerddon o Stranraer yn yr Alban ond maen Nhw'n gwylio'r fferi 'na fel barcud, a dim ond gweithwyr â chardiau arbennig a phobl sy'n dod o Ogledd Iwerddon sy'n cael croesi.'

Trodd Dilwyn at ei fam, a rhoi'i law ar ei dwylo pleth. Neidiodd hi'r mymryn lleiaf a chroesodd golwg wyllt ar draws ei hwyneb am eiliad, cyn iddi syllu eto tua'r gorwel gan siglo'n ôl a blaen.

'Rydych chi'n fodlon mynd i Iwerddon, on'd y'ch chi, Mam? Fe edrychan nhw ar eich ôl chi'ch dwy, cael gwaith i chi, ac maen nhw wedi addo gwaith i Rhian hefyd . . . Dylai fod mwy o gyfle 'na i chi gael gwybodaeth am Dad. Mae'r Groes Goch wedi bod yn helpu Amnest Rhyngwladol i lunio rhestr o "Ddiflanedigion". Mae 'da nhw dipyn o wybodaeth erbyn hyn, mae'n debyg.'

'Fe ddewch chi 'da fi, yn gwnewch?' ymbiliodd Rhian.

Edrychodd Marian Dafis o un i'r llall, fel petai'n eu gweld am y tro cyntaf.

'Mam?'

'Ie, 'merch i.'

'Fe ddewch chi 'da fi, yn gwnewch?' pwysleisiodd.

'Ar un amod.'

'Beth yw hwnnw?'

'Bod Dilwyn yn dod 'da ni.'

'Ond Mam . . .'

'Dw i wedi colli dau beth yn barod, dw i ddim yn mynd i golli mwy.'

'Mae'n rhaid i fi aros fan hyn, Mam. Mae 'na waith i'w wneud, mae eisie pobl i wneud y gwaith. Allwch chi a Rhian byth aros fan hyn ar ôl . . . beth ddigwyddodd. Mae'n bryd i chi'ch dwy gael ail gyfle, heb fod neb yna i'ch bygwth a'ch erlid am 'y mod i wedi ymuno â'r Cyngor. Fyddwch chi byth yn saff fan hyn wedyn.'

'Dw i ddim am fynd hebddat ti! Fe allwn ni aros fan hyn nes dy fod ti'n barod.'

Pam lai, meddyliodd Rhian am eiliad cyn dweud, 'Mam fach, allwch chi byth aros fan hyn. Fydd 'da ni ddim bwyd ar ôl cyn hir. Mae pawb ond y ffermwyr yn gorfod symud i lawr i'r pentrefi a'r trefi. Does 'da ni ddim arian, allwn ni ddim byw ar gardod am byth. A faint o amser fydd hi cyn y byddan Nhw ar ein hole ni ac y byddan Nhw'n sylweddoli bod neb yn y tŷ? Ble maen Nhw'n mynd i chwilio gynta? Fan hyn wrth gwrs.'

'Dw i ddim yn mynd hebddat ti!'

Edrychodd Dilwyn ar Rhian mewn anobaith.

'Mam! Ry'ch chi'n gw'bod bod Dilwyn yn iawn. Yma

mae'i le fe. Yma fyddai Dad eisie iddo fe fod, yn gwneud ei ran. Dyna lle y byddai Dad ontife?'

'Ie.' Swniai ei llais fel petai'n dod o bell.

'Wel 'na chi 'te! Ac os yw Dilwyn yn ymuno gyda nhw, dyw hi ddim yn saff i ni symud i'r un pentre na thre. Cael ein herlid wnaen ni o un lle i'r llall, a fyddai neb yn fodlon rhoi llety i ni yn y diwedd.'

'Dw i ddim yn mynd heb Dilwyn.'

Edrychodd y ddau efaill ar ei gilydd mewn anobaith llwyr. Bu distawrwydd hir yn y gilfach a gorffennodd pawb eu coffi.

Cymerodd Dilwyn anadl ddofn o'r diwedd cyn dweud, 'O.K. Mam, fe ddo i gyda chi.'

Ond sylwodd Rhian nad oedd wedi medru edrych i fyw llygaid ei fam wrth ddweud hynny. Cododd.

'Rwy'n mynd i geg y gwaith am rywfaint o awyr iach,' meddai cyn troi allan o'r gilfach a cherdded yn araf i fyny'r llethr tua'r wyneb. Roedd y siwrnai honno wedi byrhau'n rhyfeddol dros yr wythnosau diwethaf hyn. Cyrhaeddodd y fynedfa a chael ei bod bellach yn pigo bwrw. Wrth sefyll yno yn y cysgod sylwodd ar oleuadau cerbydau yn dynesu a stopio. Rhedodd yn ôl i lawr i'r gilfach a dweud wrth Dilwyn. Mynnodd yntau fod y ddwy'n aros yno, yn y tywyllwch, tra'i fod ef yn mynd i weld beth oedd yn digwydd. Aeth y ddwy i'w sachau cysgu, a dal dwylo. Diffoddodd Dilwyn un lamp olew a mynd â'r fflachlamp gydag ef.

Safodd wrth fynedfa'r gwaith. Prin y gallai weld dim oherwydd y glaw mân oedd bellach yn troi'n niwl. Ond gallai glywed: lleisiau pobl yn gweiddi ar ei gilydd, drysau cerbydau'n cau ac agor, ac roedd yna oleuadau. Un cysur iddo oedd bod neb i'w weld yn symud i gyfeiriad Llwyn-

94

gwern. Symudai rhai goleuadau i lawr y cwm, a'r gweddill i fyny. Oedden nhw wedi dewis heno i chwilio'r hen weithfeydd? Ymrannodd y goleuadau. Roedd yn ymddangos i Dilwyn fod rhai ohonynt wedi aros yn ymyl cronfa'r gwaith. Dod yn eu blaenau wnâi'r lleill. Teimlai fod ei draed wedi'u hoelio i'r llawr. Beth ddylai ei wneud? Mynd yn ôl a symud ei fam a'i chwaer i'r lefelau is, oedd yn rhannol o dan ddŵr? Ond faint elwach fyddai o wneud hynny pe bai'r rhain yn darganfod eu cilfach? Ni fyddai'n rhaid iddynt ond aros amdanynt wrth y fynedfa, fel helwyr. Byddai'n rhaid iddynt ddod allan rywbryd. Gwyddai Dilwyn, wrth wylio'r goleuadau'n dynesu, mai dim ond un fynedfa oedd i'r gwaith. A wyddai'r milwyr hynny? Oedden nhw wedi archwilio'r mapiau cyn dod yno?

Yna, trwy ryw ryfedd wyrth, fe symudodd y goleuadau yn syth yn eu blaenau, lle'r oedd y ffordd yn fforchio, a mynd at yr hynaf o'r ddau waith. Gwyliodd Dilwyn hwy hyd nes iddynt ddiflannu i grombil y ddaear. Trodd i edrych ar y criw wrth yr argae. Ni fedrai yn ei fyw benderfynu beth oedd y rhain yn ei wneud.

Ymhen hir a hwyr, ailymddangosodd y goleuadau eraill o'r ail waith a dilyn y ffordd i lawr. Daliodd Dilwyn ei wynt. Stopiodd y goleuadau rywle yn ymyl y fforch yn y ffordd. Gwnaethant arwydd â goleuadau ar y rhai wrth yr argae a derbyn arwydd yn ôl. Ailgychwynnodd y fintai, ond i lawr tua'r argae yn hytrach nag i fyny at guddfan Dilwyn yn y cysgodion. Gollyngodd ochenaid hir o ryddhad.

Llifodd y goleuadau'n ôl at y cerbydau. Clywodd Dilwyn y rheini'n tanio. Roedd yn amlwg wrth y sŵn fod sawl jîp yn eu mysg. Milwyr fu yno felly. Byddai'n rhaid iddynt symud allan yfory. Fe âi i weld Mr Williams Syfydrin cyn gynted ag y gallai yn y bore.

Gwyliodd y rhes cerbydau'n diflannu y tu hwnt i Gwm Canol. Trodd ac ymlwybro'n ôl tua'r gilfach. Roedd tua hanner ffordd i lawr y llethr pan glywodd dri ffrwydriad bach ac un anferth. Stopiodd yn stond. Meddyliodd am fynd yn ôl i edrych, ond i ba bwrpas a hithau'n dywyll? Fe welai'n ddigon buan drannoeth beth oedd y difrod.

9

Drannoeth, ymlwybrodd Dilwyn a Rhian tua'r golau yng ngheg y gwaith. Cymerai amser i'w llygaid gynefino â'r golau bob tro. Safodd y ddau yn y fynedfa am ychydig ac edrych i lawr ar y cwm. Roedd yr argae bach a'r llyn odanynt wedi diflannu. Wedi'u chwythu i ebargofiant. Yn eu lle yr oedd afon o fwd i'w gweld yn mynd i lawr y ffordd, gydag ambell gangen yn llifo tua'r nant hefyd.

Sylwodd Rhian fod golwg ofnadwy ar dalcen Cwm Canol, gyda mwd wedi tasgu dros y wal i gyd.

'Wyt ti'n meddwl bod pobl Cwm Canol yn iawn?' gofynnodd.

'Gad ti lonydd i'r Warburtons. Wnaethon nhw ddim erioed i'n helpu ni ers iddyn nhw ddod 'ma. Rhyngddyn nhw a'u cawl, ddyweda i. Edrych, mae'r polyn trydan yn ymyl Cwm Canol wedi'i dorri.'

'A'r beipen ddŵr o Graig y Pistyll 'fyd.'

Trodd Dilwyn a gweld twll mawr lle'r arferai'r beipen ddod i'r wyneb wrth fynedfa'r ail waith.

'Maen Nhw'n amlwg yn benderfynol fod pawb yn

96

symud o 'ma,' meddai Dilwyn. 'Allith neb fyw heb ddŵr a thrydan. Wel, mae'n well i fi'i siapio hi; fe wela i chi'ch dwy naill ai heno neu bore 'fory, pan fydd gen i newydd-ion pendant am y cwch 'ma.'

'Iawn, ond cymer ofal.'

'Paid ti â phoeni. Alla i edrych ar ôl 'n hunan yn iawn yn y mynydde a'r coedwigoedd 'ma erbyn hyn.'

Rhoddodd ei fraich am ysgwyddau ei chwaer a rhoi gwasgiad sydyn iddi cyn troi tua'r dwyrain a dechrau dringo'r llethr. O leiaf roedd hi'n sych, er bod y cymylau'n eithaf isel.

Aeth Rhian i lawr at y tŷ i gael gweld a oedd rhywun wedi bod yno neithiwr. Cyfarfu â Dennis yn ymyl y wal gefn.

'Does neb wedi bod 'na,' meddai Dennis. 'Ond y'ch chithe, 'run peth â ni, heb ddŵr, trydan na ffôn. Fe chwython nhw'r cwbl lot neithiwr, mae'n rhaid.'

'O! O'n i wedi meddwl gwneud cinio i Mam fan hyn heddi.'

'Wel dere â'r stof fach 'na sy gen ti yn y gwaith lan fan hyn.'

'Dyna'r unig ateb, siŵr o fod.'

'Liciet ti rywbeth o'r pentre? Dw i'n mynd i lawr ar y beic yn y funud i ffonio'r gwaith. Alla i ddim mynd i mewn heddi. Fe fydd raid i fi symud Mam i lawr i'r Penrhyn. Allwn ni ddim aros 'ma fel hyn.'

'Fe ddo i 'da chi os ca i. Mae angen bara a llaeth arnon ni ac mi fyddai'n neis cael mynd mas o'r cwm 'ma. Dw i'n dechre teimlo'r mynydde 'ma'n cau amdana i weithie, ar ôl bod 'ma trwy'r wythnos.'

'Reit. Fe fydda i'n barod mewn tua deng munud,' meddai Dennis.

'Wela i chi bryd 'ny.'

Trodd Rhian tua'r tŷ. Datglodd y drws cefn. Crwyd-rodd o amgylch yr ystafelloedd gan sylwi ar eu moelni am y tro cyntaf. Roedd cyn lleied o'u pethau yn dal yn gyfan a heb eu cludo i'r domen. Cofiodd y byddai'n rhaid tanio honno heddiw. Teimlai fod ei chalon rywle i lawr yn ei hesgidiau. Efallai mai dyma'i chyfle olaf i fod yn yr hen gartref annwyl hwn. Er nad oedd ei gynnwys yr un fath bellach, yr un oedd y pedair wal. Yno y bu hi a Dilwyn yn byw erioed. Ni wyddai am gartref arall. Un flynedd ar bymtheg! Nefoedd, beth oedd y dyddiad? Roedd hi bron yn ben blwydd arnynt—Mawrth yr ail. Aeth i chwilio am galendr ym mhob man ond roedd hwnnw, fel popeth papur arall heblaw llyfrau, wedi mynd allan i'r domen.

Yna cofiodd am ei wats a gwasgodd y botwm bach oedd arni: 2-3-10 meddai honno'n fud. Wel! Dyna wyrth. Byddai'n rhaid iddi gael cacen o ryw fath i lawr yn siop y Post.

Ar hyn clywodd gorn y beic modur y tu allan. Rhedodd allan ond bu'n rhaid iddi droi'n ôl i gloi'r drws cefn. Wedi cyrraedd y beic, gwisgodd yr helmed a ddaliai Dennis iddi, a gwaeddodd uwchben sŵn yr injan.

'Mae'n ben blwydd ar Dilwyn a fi heddi.'

'Jiw, jiw, o'n i wedi anghofio popeth. Rwyt ti'n iawn 'fyd, Mawrth yr ail yw hi heddi.'

Dringodd Rhian ar y beic a gafael yn dynn am ganol Dennis ac i ffwrdd â hwy. Roedd yn rhaid bod yn ofalus iawn am y rhan fwyaf o'r ffordd i lawr i'r Bont oherwydd y trwch o fwd ar y ffordd. Ond wedi iddynt gyrraedd crib y rhiw, diflannodd y llif mwd dros ochr y ffordd i lawr i ddibyn. Stopiodd Dennis i gael gweld y difrod odanynt. Roedd dwy sied yng ngardd Cwm Isaf wedi diflannu a gallent ddilyn y llwybr o fwd, cerrig, coed, llwyni a sbwriel â'u llygaid i lawr cyn belled â'r nant.

Gyrrodd Dennis yn ei flaen wedyn, drwy'r pentref ac ymlaen i'r Penrhyn. Mor gyflym oedd y daith ar feic modur, meddyliodd Rhian, o'i chymharu â'r daith ar feic. Cyn pen dim, roeddynt yn arafu y tu allan i'r siop yn y Penrhyn. Tawelwyd y beic ac aeth y ddau i mewn i gyfeiliant cloch y drws. Roedd y lle'n foddfa o olau trydan. Cerddodd Rhian o amgylch yn casglu'r hyn yr oedd arni ei angen, gan gyfrif y ceiniogau am fod eu harian yn prysur brinhau. Daeth o hyd i'r cacennau a chymryd amser i ddewis un ar gyfer y te pen blwydd. Estynnodd am dun o eirin gwlanog ond na, gwelodd na fedrai hi mo'i fforddio. Fe'i rhoddodd yn ôl ar y silff yn hiraethus, gan gofio aml i de dydd Sul, pan oedden nhw'n fach. Rhoddodd ochenaid cyn cludo'r gweddill yn y fasged at y man talu. Mam Phil Post oedd yno'n ei disgwyl. Cymraes oedd hi.

'Helô, Rhian, a shwd y'ch chi ers llawer dydd?'

'Iawn, diolch, Mrs Everard.'

'A shwd mae'ch Mam, dw i ddim wedi'i gweld hi ers wythnose.'

'Dyw hi ddim wedi bod yn rhy dda yn ddiweddar.'

'O mae'n ddrwg 'da fi glywed . . . Y'ch chi'n clywed oddi wrth Dilwyn weithie?'

Roedd ateb ar fin byrlymu o'i cheg pan sylweddolodd mai trap oedd y cwestiwn, diniwed yr olwg, hwn. Arhosodd ennyd cyn ateb.

'Na, dim ers iddo fe ddiflannu.'

'Dyna drueni ontife, colli'r ddau ddyn yn y teulu . . . 'sdim rhyfedd fod eich Mam yn sâl . . . ond 'na fe, dyna beth sy'n dod o dorri'r gyfraith 'chi'n gweld ... Deg punt a dwy geiniog, os gwelwch yn dda.'

Ymbalfalodd Rhian am yr arian yn ei phoced, gan gnoi'i thafod ar yr un pryd rhag iddi ddweud rhywbeth y byddai'n edifar ganddi wedyn. Daeth Dennis i sefyll y tu ôl iddi.

'Helô, Den, shwd wyt ti?'

'Lled dda, lled dda.'

'Dal i botsian 'da Enid Penllwyn?'

Cochodd Dennis at fôn ei glustiau ond nid atebodd. Edrychodd Rhian arno o'r newydd. Nid oedd erioed wedi meddwl am Dennis fel dyn, dim ond person oedd yn digwydd byw y drws nesaf iddynt. A phwy oedd y ddynes Enid Penllwyn yma? Cymerodd ei newid oddi ar y cownter a mynd allan o'r siop i ddisgwyl Dennis. Pwy a gerddai tuag ati ar draws y sgwâr ond Janice Mynydd Gorddu.

'Wel, wel, a shwd wyt ti ers oes Adda?'

'Ble wyt ti 'di bod?'

Tynnodd Rhian Janice gerfydd ei llawes at y gofgolofn cyn ateb mewn llais tawel, 'Fe ymosododd dau blismon ar Mam tua wythnos yn ôl ac alla mo'i gadael hi am gyfnode hir.'

'Rwyt ti'n ei chanol hi, 'merch i, 'run fath â finne. Mae Dad yn sâl 'da ni, wedi gwneud rhywbeth i'w gefn, ac allwn ni ddim fforddio cael doctor i'w weld e ac mae e ar wastad ei gefn yn y tŷ. Mam a fi sy'n gorfod gwneud y gwaith i gyd wedyn, i gadw'r lle i fynd. Mae'r ŵyna 'ma bron â'm hela i'n benwan. Dw i ddim yn cofio pryd ges i noson deidi o gwsg ddiwetha ... Dwed wrtha i, shwt mae Dilwyn?' meddai Janice gan orffen mewn sibrydiad a chan edrych o'i chwmpas.

'Be wyt ti'n ei w'bod am Dilwyn?'

'Dim ond ei fod e'n cuddio yn y mynydde 'ma yn rhywle.'

'Y cwbl ddyweda i yw ei fod e'n iawn.'

'Dw i ddim yn disgwyl i ti ddweud mwy. Mae clustie 'da walie'r dyddie hyn. Does neb yn saff! Ond dw i'n falch ei fod e'n iawn. 'Taswn i wedi bod 'dag e, mi fyddwn i wedi'i helpu e i dagu Gary. Mae e wedi mynd yn annioddefol erbyn hyn. Chredet ti ddim! Roedd e yn y clwb echnos—rial fi-fawr-faglog wrth bawb! Ond mae Nic yn amau bod ei dad am ei symud e i'r ysgol Saesneg ar ôl yr haf.'

'Gwynt teg ar ei ôl e i chi i gyd.'

'Dwyt ti ddim am ddod yn ôl, 'te?'

'Y! na . . . fe fydd raid i fi fynd mas i weithio. Cyflog bach iawn sy 'da Mam, hyd yn oed pan mae hi'n gweithio.'

Ar hyn daeth Dennis allan o'r blwch ffonio wrth ddrws y siop.

'Mae'n well i fi fynd,' meddai Rhian.

'Cofia ddod draw os wyt ti eisie clonc. Fe fydda i gartre am bythefnos 'to, siŵr o fod.'

'O.K., fe gofia i.'

'Neu, os gallwn ni wneud rhywbeth i helpu . . . cofia.'

'Diolch i ti, Jan, fe gofia i,' a rhoddodd Rhian gusan sydyn ar foch ei ffrind. Syllodd honno arni â syndod am ennyd, cyn troi tua'r siop.

Roedd Dennis yn tanio'r beic pan gofiodd Rhian fod arni angen rhywbeth i helpu llosgi'r domen wrth gefn y tŷ.

'Fe gawn ni baraffîn i ti yn y garej nawr wrth basio. Mae e dipyn rhatach fan 'ny na fan hyn,' meddai Dennis, ac felly y bu.

Cyrhaeddodd y ddau yn ôl adref tuag un ar ddeg o'r gloch, ac aethant ati ar unwaith i gynnau'r goelcerth.

Taflodd Dennis y paraffîn drosti, ac ar y pumed cynnig, gafaelodd y tân.

'Diolch, Dennis. Fe gadwa i lygad arno fe nawr.'

'Iawn. Fe wela i chi nes 'mlaen. Dw i'n gobeithio bod Mam wedi cael rhai o'i phethe'n barod erbyn hyn i fi allu dechre mynd â nhw i lawr iddi yn y cart bach i'r Penrhyn.' Ac i ffwrdd ag ef.

Aeth Rhian i'r tŷ i baratoi hynny a fedrai o'r cinio cyn mynd i mofyn ei mam a'r stof i fyny o'r gwaith.

Erbyn canol y prynhawn, daeth yr haul allan, a llwyddodd Rhian i berswadio'i mam i fynd am dro i ben y bryn a chael rhywfaint o awyr iach, gan iddi fod dan ddaear cyhyd. Ymlwybrodd y ddwy'n araf i fyny'r llethr. Teimlai Marian Dafis ewynnau ei choesau'n cwyno gyda'r ymdrech, gan nad oeddynt wedi gwneud fawr o ddim ers dros wythnos. Wedi cyrraedd y grib, cerddodd y ddwy at argae Pant-rhyd-ebolion, llyn mawr a gyflenwai ddŵr i bentrefi'r Penrhyn a'r Rhyd. Yno gallent edrych draw tua'r môr neu dros y llyn y tu cefn iddynt.

'Mm! Mae'n braf,' meddai Marian Dafis.

'Mae'n fendigedig,' atebodd Rhian.

Nid oedd awel i darfu arnynt. Roedd yn brynhawn hyfryd o wanwyn. Gwyliai Rhian ei mam o gornel ei llygad. Roedd fel petai nerth yr haul yn toddi'r mur o iâ oedd wedi ffurfio o'i chwmpas. Pwysodd yn ôl, maes o law, ar garreg y tu cefn iddi a chau'i llygaid. Yr oedd yn ymlacio am y tro cyntaf ers wythnosau.

Yna, sylwodd Rhian ar symudiad yr ochr draw i'r llyn. Daliodd ei gwynt a rhegi dan ei hanadl ar yr un pryd, gan fod rhywun yn dod i darfu ar ei mam. Gallai weld mai dau geffyl oedd yno ond ni fedrai weld pwy oedd yn eu marchogaeth. Dynesodd y marchogion a phan oeddynt tua hanner ffordd ar hyd lan y llyn, a Rhian ar fin dweud wrth ei mam fod yn well iddynt symud, gwelodd Rhian mai Dilwyn oedd un ohonynt ac ie, Ifan oedd y llall. Ymlaciodd a'u gwylio'n dynesu. Cododd law arnynt.

'Mam,' meddai mewn llais tawel. Agorodd honno ei llygaid. Cododd ei chalon a daeth gwên dyner i'w hwyneb. 'Mae Dilwyn ac Ifan draw fan'co. Fe fyddan nhw 'ma whap.'

Cododd Marian Dafis a throi i edrych.

'Ble cafodd e afael ar y ceffyl 'na?'

'Syfydrin, siŵr o fod.'

'A beth y'ch chi'ch dwy'n ei wneud yn diogi fan hyn?' gwaeddodd Dilwyn, pan ddaeth o fewn clyw iddynt.

'Dwyt tithe ddim fel petaet ti'n gwneud dim byd egnïol iawn!' atebodd Rhian.

Carlamodd y ddau draw atynt.

'Wel, wel, dyma beth yw dedwyddwch wir!'

'A beth y'ch chi'ch dau'n ei wneud fan hyn?' gofynnodd Rhian.

'Dod i'ch gweld chi'ch dwy, neu, a bod yn fanwl gywir, dod ag Ifan i'ch gweld chi. Fe oedd yn mynnu dod, dweud bod 'dag e barsel i chi oddi wrth ei fam, ymysg pethe eraill.'

'Parsel i chi i gyd yw e, a dweud y gwir,' meddai Ifan, ond gan edrych ar Rhian yn unig. 'Pa ddiwrnod yw hi heddi?'

'Dydd Mercher?' gofynnodd Dilwyn.

'Nage'r ffwlbart. *Beth* yw hi heddi?'

'Dw i'n gw'bod,' meddai Rhian, braidd yn swil.

'Wel paid â dweud dim am funud,' rhybuddiodd Ifan gan wenu arni.

Syllodd Dilwyn a'i fam ar ei gilydd, tra gwenodd y ddau arall.

'O!' meddai Marian Dafis, 'Ydi hi'n ben blwydd ar y ddau ohonoch chi heddi?'

'Da iawn, Mrs Dafis. Deg mas o ddeg. Ac mae 'da fi fasgedaid o stwff i chi i'w gael i de yn y bocs 'ma.'

'Dipyn gwell na'r gacen ges i bore 'ma 'te,' meddai Rhian braidd yn siomedig.

'Honno fydd ar ganol y bwrdd, 'merch i,' meddai Ifan, 'ac mae 'da fi ganhwylle i ti eu rhoi arni . . . Dewch, un ar bob ceffyl. Mae'r ddau yma'n ddigon cryf i ddal dau.'

Tynnwyd y ddwy i fyny i eistedd y tu ôl i'r ddau fachgen ac ymlaen â hwy dros y grib. Gafaelodd Rhian yn dynn am ganol Ifan a gorffwys ei phen ar ei ysgwydd. Teimlodd ei law yn gwasgu'i dwylo'n dyner, a thoddodd drwyddi. Ymlwybrodd y ceffylau'n ofalus i lawr y llethr nes cyrraedd y tir gwastad ar y gwaelod.

Wedi cyrraedd y tŷ, clymwyd y ceffylau wrth bostyn yn y cefn ac aeth Dilwyn draw i weld a oedd y goelcerth yn iawn tra aeth y tri arall i mewn i baratoi'r wledd. Rhoddodd Dilwyn bwniad i un neu ddau o bethau i'w cael yn nes at y tân cyn troi am y tŷ. Cododd law ar Dennis oedd yn cychwyn â'i bedwerydd llwyth am y Penrhyn. Safodd Dilwyn am ychydig ac edrych ar y tŷ. Teimlai'n drist o feddwl mai dyma'i ymweliad olaf â'r lle.

Roedd y bwrdd yn y gegin wedi'i osod mewn chwinciad a dŵr wedi'i roi mewn sosban ar y stôf wersylla. Gosododd Rhian y canhwyllau'n ofalus yn ei chacen siop, a chael ei bod braidd yn brin o le erbyn y diwedd.

Yna gwaeddodd Ifan o'r cyntedd, 'Mrs Dafis, oes 'da chi eiliad i'w sbario?'

Ymsythodd Marian Dafis. Nid oedd arni awydd mynd i unrhyw ran arall o'r tŷ.

'Dim ond eiliad,' gwaeddodd Ifan eto.

Gwyliodd Rhian ei mam yn agor y drws i'r cyntedd yn araf, ond aeth trwyddo'n weddol gyflym a'i hanner gau ar ei hôl. Gallai glywed y ddau'n sibrwd yn y cyntedd ond ni fedrodd glywed y geiriau gan fod Dilwyn wedi dod i mewn.

'Ble mae'r ddau arall?'

'Lan i ryw dricie yn y cyntedd 'na!' meddai Rhian gan wenu.

'Mae Mam yn edrych yn well nag y bu hi ers oesoedd.'

'Mi wnaeth y tro bach 'na gynne lot o les iddi.'

'Mae'r dŵr 'ma'n berwi,' ebe Dilwyn gan syllu i mewn i'r sosban.

'Wel tynna fe bant o'r gwres 'te.'

Gwnaeth Dilwyn hynny cyn eistedd wrth y bwrdd ac estyn am dafell o fara. Cafodd glatsien ar gefn ei law.

'Ble mae dy fanyrs di! Aros i bawb arall ddod!'

'Dw i bron â starfo! Ac rwyt ti'n swnio'n gwmws 'run peth â Mam.'

'Pwy sy'n cymryd fy enw i'n ofer?' gofynnodd Marian Dafis, wrth ddod yn ôl i'r ystafell a'i dwylo y tu ôl i'w chefn. 'Nawr 'steddwch eich dau, a chaewch eich llygaid.'

'*Un deg* chwech ydyn ni, Mam, nid chwech,' cwynodd Dilwyn.

'Caea dy ben,' ebe Rhian dan ei gwynt.

Caeodd y ddau eu llygaid yn ôl y gorchymyn, am ddwy neu dair eiliad.

'Reit, agorwch nhw.'

O'u blaen, ar y bwrdd, roedd dau becyn coch. Safai eu mam ac Ifan yr ochr draw i'r bwrdd.

''Steddwch, Ifan,' meddai, tra aeth y ddau efaill ati i agor eu presantau.

Siwmper gynnes gafodd Dilwyn a phersawr gafodd Rhian.

'Diolch yn fawr,' meddai'r ddau mewn deuawd a theimlodd Rhian ddagrau'n cronni yn ei llygaid wrth iddi wenu'n swil a thyner ar Ifan.

'Tynnwch atoch,' meddai Marian Dafis yn frwdfrydig, i guddio'i theimladau hithau o weld cadair wag o'i blaen, a daliodd y plât bara menyn o dan drwyn Ifan.

'Diolch,' meddai. 'Glywsoch chi eu bod nhw wedi chwythu cronfeydd Alwen, Fyrnwy a chwm Elan lan yr wythnos ddiwetha?' meddai wedyn, ymhen tipyn.

'Grêt,' meddai Rhian.

'O na! Beth am y bobl sy'n byw odanyn nhw?' meddai ei mam.

'Roedd y Cyngor wedi'u rhybuddio nhw, a phawb wedi dianc i dir uwch. Fe fydd raid i'r Llywodraeth ffeindio cartrefi iddyn nhw nawr.'

'Diolch byth am hynny.'

Bu tawelwch wedyn am dipyn.

'Pryd wyt ti'n mynd i ddweud wrthyn nhw?' gofynnodd Ifan, ymhen tipyn.

'Dweud beth?' gofynnodd Rhian.

'Mae 'da fi newyddion i chi,' meddai Dilwyn. 'Mae 'na gwch wedi'i drefnu ar ein cyfer ni nos Sadwrn; un bach fydd yn ein pigo ni lan, a'n trosglwyddo ni i gwch pysgota Gwyddelig mawr ymhellach allan i'r môr.'

'Be wnawn ni tan hynny?' gofynnodd Rhian a'i chalon yn suddo i'w hesgidiau.

'Mae hynny wedi'i drefnu hefyd. Mae lle i chi'ch dwy aros . . . i lawr ym mhentre'r Rhyd, mae arna i ofn, Rhian. Fe awn ni i lawr 'na heno, unwaith y tywyllith hi. Mae 'da ni awr neu ddwy i gasglu beth y'n ni'n mo'yn. Ond gore po leia fydd 'da ni. Fe a' i lan i'r gwaith i mo'yn unrhyw beth sydd 'i eisie arnoch chi o fan'ny.'

Cododd Rhian a rhuthro allan o'r ystafell. Edrychodd Ifan yn ymbilgar ar Dilwyn.

'Cer, y mwlsyn,' meddai hwnnw gan wenu ar ei ffrind.

Cododd Ifan a mynd i chwilio am Rhian. Edrychodd Marian Dafis ar ei mab.

'Be sy'n mynd 'mlaen 'ma?' gofynnodd.

'Cariad, Mam, cariad.'

'Ifan a Rhian?'

'Ie, fyddech chi na fi byth wedi meddwl, na fydden? Ond o leia mae hi, mei-ledi, wedi gwneud dewis call am unwaith.'

Bu distawrwydd am ennyd cyn i'w fam ateb.

'A nawr mae hi'n mynd i'w golli fe, 'run fath â finne.'

'Dewch, Mam, fe awn ni i'r gwaith i gasglu'n pethe.' A thywysodd hi allan drwy'r drws cefn, gerfydd ei hys-gwyddau.

Yn yr ystafell fyw wag, safai Ifan a Rhian ar ganol y llawr, yn gafael yn dynn yn ei gilydd, heb ddweud dim. Ni fedrai geiriau gyfleu'r holl deimladau a lifai rhyngddynt a throstynt.

Prin bod eu perthynas wedi cychwyn, a dyma hi nawr yn gorfod gorffen, dros dro o leiaf. Roedd y cyfan mor annheg, meddyliodd Rhian, wrth i'r dagrau ddechrau llifo'n dawel i lawr ei gruddiau. Pam oedd raid iddi golli popeth?

Yna teimlodd Rhian afael Ifan arni'n tynhau. Cododd ei

phen ac edrych i'w wyneb. Cusanodd hi'n dyner a sychu'i dagrau; gafaelodd hithau ynddo yn dynnach nag erioed. Teimlodd ei chalon yn codi i'w gwddf a thon o gariad yn llifo drosti nes iddi gredu ei bod yn boddi. Tynnodd yn ôl, a gollyngodd Ifan ei afael ac edrych arni â chwestiwn yn ei lygaid.

'Pam? Pam y ni?' gofynnodd hithau.

'Dw i ddim yn gw'bod,' oedd ateb Ifan ymhen ychydig, 'ond mae'n rhaid i ni beidio â rhoi i mewn iddyn Nhw. Fe allwn ni brofi'n bod ni'n fwy na Nhw, os ydyn ni eisie . . . Mae 'na bost yn dal i fynd a dod rhwng fan hyn ac Iwerddon ac fe allwn ni sgrifennu . . .'

'A faint o hwnnw fydd heb gael ei ddarllen gan ryw hen gachgi bach mewn swyddfa rywle?'

'Mae e lan i ni, Rhian. Paid â digalonni. Mi allech chi fod 'nôl o fewn y flwyddyn. Neu os bydd dy fam yn well, fe alli di ddod 'nôl dy hunan ac ymuno 'da'r Cyngor 'run fath â Dil.'

'Rwyt ti'n iawn, siŵr o fod, ond mae popeth yn edrych . . . mor anobeithiol,' ebe Rhian, gan droi ei chefn a cherdded at y ffenestr.

Gafaelodd Ifan yn ei llaw a'i thynnu'n ôl ato a gafael ynddi'n dynn cyn ei chusanu'n hir a thyner.

*   *   *

Wedi iddi nosi, safai'r pedwar wrth ddrws cefn Llwyngwern. Roedd yn noson glir, a naws rewllyd arni.

'Roist ti'r llythyr 'na i Dennis?' gofynnodd Rhian, a braich Ifan yn dynn amdani o hyd.

'Mi rois i e trwy'r twll llythyron gan fod neb yn ateb,' atebodd Dilwyn. 'Ydyn ni'n barod 'te?'

'Ydyn,' meddai ei fam.

'Siwrne dda i chi, 'te,' meddai Ifan, 'gan na wela i mo'noch chi am dipyn.'

'Dim gormod o amser, gobeithio,' meddai Marian Dafis.

Disgynnodd distawrwydd chwithig dros y pedwar.

'Reit, bant â ni 'te,' meddai Dilwyn yn orhwyliog, gan ysgwyd y pecynnau ar gefn y ceffyl am y milfed tro i wneud yn siŵr eu bod yn sownd.

'Hwyl,' meddai Ifan a rhoi gwasgiad olaf i Rhian cyn neidio i gyfrwy ei geffyl a throtian i ffwrdd, heb edrych yn ôl.

'Hwyl,' gwaeddodd y tri ar ei ôl cyn cychwyn dringo'r llethr y tu ôl i'r tŷ, Dilwyn yn arwain y ceffyl oedd wedi'i lwytho â phecynnau pawb, a'r ddwy arall yn llusgo'u traed y tu ôl iddo. Nid edrychodd yr un ohonynt yn ôl. Wedi cyrraedd ymyl y coed troesant tua'r gorllewin a dilyn y ffin i lawr at y nant. Prin y gallai Rhian weld dim wrth i'r dagrau lifo i lawr ei hwyneb. Dilyn y nant wedyn i lawr tua'r Bont ond gan gadw'r ochr arall iddi o'r pentref. Ni fyddai dieithryn yn gwybod bod pentref yno gan nad oedd yr un golau i'w weld. I lawr wedyn at y bont fach ac aros a gwrando. Nid oedd yr un cerbyd i'w glywed na neb i'w weld yn cerdded ar y ffordd, felly brysiodd y tri ar draws y ffordd ac yn ôl i lawr at lan yr afon. Dal i ddilyn nant Seilo wedyn nes cyrraedd cyffiniau Glanyrafon a dringo'r llethr yno i fyny i'r ffordd fawr. Cyn mentro arni, rhoddodd Dilwyn esgidiau lledr am draed y ceffyl, fel na wnâi'r pedolau ei bradychu.

Cyn hir, safent ar y groesffordd ar ben y rhiw a arweiniai i lawr i'r Penrhyn. O'r fan yma, roedd yn rhaid mynd ar draws gwlad i lawr i Gwm Stewi, croesi'r nant ar draws pont fechan sigledig a dringo'r llethr y tu hwnt, heibio i'r Cwrt ac at y groesffordd ger Pencefn. Cyrhaeddodd y tri y fan honno wedi blino'n lân, erbyn naw o'r gloch. Troesant i mewn i gae ger y groesffordd i gael eistedd a gorffwyso am ychydig. Roedd Marian Dafis wedi colli'i gwynt yn llwyr gan iddi fod yn cuddio yn y gweithfeydd am wyth niwrnod. Teimlai fod pob gewyn ac asgwrn yn ei chorff yn gwynio. Ni theimlai Rhian lawer yn well, ond hiraeth oedd ei phoen hi. Dyheai am gael Ifan wrth ei hymyl eto a theimlo cynhesrwydd ei freichiau a'i wefusau.

'I lawr y rhiw fydd hi'r holl ffordd o fan hyn,' meddai Dilwyn.

'Ie, diolch byth,' meddai Rhian, yn ddifywyd hollol.

Wedi cymryd ysbaid dawel am ryw chwarter awr, cododd y tri ac arwain y ceffyl allan i'r ffordd. Ni ddywedodd yr un ohonynt air wrth basio'r tŷ ar y groesffordd a throi i'r ffordd a arweiniai i lawr i bentre'r Rhyd. Roeddynt wedi mynd tua chwarter milltir ar hyd y ffordd honno pan sylweddolodd Dilwyn ei fod yn clywed sŵn cerbyd—peth rhyfedd iawn, gan fod petrol yn cael ei ddogni i bawb ar wahân i'r rhai mewn swyddi allweddol fel meddygon, ffermwyr ac ati.

'Dewch i gwato yn y cae 'ma, glou!' meddai a rhuthrodd tua chlwyd gyfagos a welai yng ngolau'r lleuad. Ymladdodd yn hir â'r cortyn a glymai'r glwyd. Cael a chael fu hi iddynt fynd i mewn i'r cae a chau'r glwyd cyn i'r cerbyd ddod dros frig y rhiw a thaflu'i olau i lawr y darn syth hir o ffordd y buont yn cerdded arni eiliadau ynghynt.

Wedi iddo basio'r glwyd dywedodd Dilwyn, 'Patrôl 'falle, jîp milwrol, 'ta beth.'

Nid oedd ar yr un ohonynt lawer o awydd ailgychwyn.

Beth petai jîp arall yn dod a hwythau'n methu dod o hyd i le i guddio? Roedd y lleuad wedi diflannu y tu ôl i'r cymylau, ac roedd hi bellach mor dywyll â bola buwch. Ond mynd fu raid. Cyn hir gwelent oleuadau'r pentref odanynt. Sylweddolodd Rhian nad oedd yn falch o'u gweld: codent ofn arni. O'r diwedd, daethant at y troad am fferm Caergywydd a dechreuodd y tri ymlacio, wedi troi i mewn i un o gaeau'r fferm.

'Fe a' i i lawr i'r tŷ i weld a yw popeth yn barod. Rhian, gafael ym mhen y ceffyl 'ma, wnei di.'

Aeth Dilwyn yn ôl i'r ffordd a cherdded i lawr tua'r ffermdy oedd wedi'i gysgodi gan goed tal. Wedi cyrraedd y cefn, cnociodd y drws dair gwaith yn araf ac yna ddwywaith yn gyflym. Agorwyd y drws gan y ffermwr.

'Dere i mewn, 'machgen i . . . Ble maen nhw gen ti?'

'Yn y cae wrth yr hewl. Ydi popeth yn barod?'

'Ydi, glei,' meddai'r wraig a safai wrth yr Aga fawr yr ochr draw i'r ystafell. 'Mae bwyd yn barod i chi i gyd fan hyn ac mae lle iddyn nhw ill dwy i gysgu yn yr ydlan . . .'

'Gallan nhw guddio yng nghornel honno os daw rhywun,' ychwanegodd y ffermwr. 'Wyt ti'n siŵr nad wyt ti angen lle?'

'Ydw diolch, mae 'da fi lot i'w wneud lan ar y topie 'co. Fe wela i chi mewn tridie pan ddo i'w mo'yn nhw. A nawr a' i lan i'w nôl nhw!'

Ac allan â Dilwyn i dywyllwch y nos. Roedd hi wedi dechrau bwrw'n drwm, felly cychwynnodd redeg i fyny'r ffordd.

10

Noson weddol gymylog oedd hi ar y nos Sul, ond chwythai'r gwynt yn gyson gan ysgubo'r cymylau'n eithaf cyflym ar draws yr awyr. Eisteddai Rhian a'i mam yng nghegin Caergywydd, o flaen yr Aga. Nid oedd y teulu wedi dod adref o'r eglwys eto. Syllu o'u blaenau a wnâi'r ddwy. Nid oedd arnynt awydd siarad. Edrychodd Rhian ar ei wats. Deng munud wedi saith. Fe ddylai'r teulu fod yn ôl erbyn hyn. Yr oedd hi bron yn amser i Dilwyn gyrraedd. Cododd a chodi caeadau'r sosbenni ar yr Aga. Roedd y tatws yn dechrau mynd gyda'r dŵr felly tynnodd hwy oddi ar y gwres.

Aeth allan wedyn i'r clos, i weld a oedd 'na rywun yn dod. Clywodd sŵn car yn stopio wrth droad Caergywydd. Tynhaodd pob gewyn yn ei chorff; aeth i guddio y tu ôl i wal y twlc. Trodd y car i lawr y ffordd tua'r fferm, ei oleuadau'n fflachio. Diolch byth! Dyna'r arwydd mai car y teulu oedd yno. Brysiodd i mewn a rhybuddio'i mam. Aeth y ddwy ati ar unwaith i godi'r swper. Erbyn i'r cyfan fod yn barod, roedd y teulu wedi newid o'u dillad gorau a Dilwyn wedi cyrraedd, gyda dau geffyl y tro hwn.

Tawel iawn oedd Rhian a'i mam yn ystod y pryd, gan feddwl mai hwn fyddai eu pryd olaf o fwyd yng Nghymru am rai blynyddoedd. Ond parablu bymtheg i'r dwsin a wnâi Dilwyn gyda'r ffermwr.

Wedi gorffen bwyta a chael cwpanaid o de, dywedodd Dilwyn, 'Mae'n well i ni'n tri feddwl am fynd. Ydi'ch pacie chi'ch dwy'n barod?'

'Ydyn, fe ddo i 'da ti i'w llwytho nhw nawr,' atebodd Rhian, ac allan â hwy.

'Ydi popeth 'da chi nawr, Mrs Dafis? Y'ch chi wedi anghofio rhywbeth?'

'Mae hi braidd yn hwyr i boeni bellach.'

'Ydi, debyg iawn, ond 'falle bod gyda ni rywbeth yr hoffech chi'i gael.'

'Na, dw i ddim yn meddwl 'mod i wedi anghofio unrhyw beth. Does dim lle i lawer o ddim byd gen i, 'ta beth.'

'Nac oes, siŵr o fod . . . Mae'n ofnadw'ch bod chi'n gorfod mynd fel hyn a gadael popeth, ydi wir.'

'Does 'da ni ddim dewis.'

Agorodd y drws cefn.

'Reit 'te, Mam, y'ch chi'n barod?' meddai Dilwyn.

'Ydw.'

'Arhoswch funud,' meddai Rhian, gan wthio heibio i'w brawd. 'Dw i'n bownd o fynd i'r tŷ bach.'

'Fe ddo i 'da ti,' meddai ei mam.

'Be wnewch chi â nhw?' meddai Dilwyn yn ysgafn, wedi i'r ddwy fynd. 'Allwch chi ddim mynd â nhw i unman!' Ond ni chwarddodd neb.

Cyn pen deng munud, a hithau wedi nosi bellach, cychwynnodd gorymdaith fechan o glos Caergywydd. Ar y ceffyl blaen roedd Dilwyn a'r paciau, tra dilynai Rhian a'i mam ar yr ail geffyl. Safai teulu'r fferm yng ngolau'r drws cefn yn codi llaw arnynt. Bu'n rhaid bwrw tua'r gogledd i ddechrau, er mwyn cadw'n glir o'r pentref. Gallent weld goleuadau'r pentref i lawr odanynt ar y chwith. Gwelsant ddau gar ar y ffordd. Cyn hir, roeddynt wedi cyrraedd cefn yr ysgol gynradd, felly dyma'i hanelu hi i lawr at y ffordd fawr. Yno, yn ymyl yr ysgol, yr oedd y man mwyaf anghysbell lle y gallent groesi'r briffordd. Bu'n rhaid aros yno am ychydig yng nghysgod clawdd i wrando am sŵn ceir, ond nid oedd dim i'w glywed. Felly nesaodd Dilwyn at y glwyd a phlygu i lawr i'w hagor.

'Dewch, yn glou,' meddai, a phwyntio ar draws y ffordd i ddangos i Rhian i ba gyfeiriad i anelu ei cheffyl. Caeodd y glwyd ar eu holau a'u dilyn ar draws y ffordd. Clywai sŵn pob pedol ar y ffordd fel taran. Nid oedd dim i'w wneud ond gobeithio bod lefel y sŵn ar setiau teledu'r tai cyfagos yn ddigon uchel i foddi sŵn y pedolau. Nid oedd digon o amser ganddo i wisgo'r sgidiau lledr am draed y ceffylau.

Cyn pen dim, roeddynt yn y cae yr ochr arall i'r ffordd. Yn awr roedd yn rhaid mynd i lawr at y nant, allan o olwg y tai, a throi'n ôl tua'r de a chael hyd i bont a llwybr y Ruel. Dechreuodd Dilwyn feddwl ei fod wedi'i fethu pan ddiflannodd y lleuad y tu ôl i gwmwl, ond yna, trwy ryw ryfedd wyrth, gwelodd y bont o'i flaen. Sylweddolodd yn syth na fedrai hon gymryd pwysau mwy nag un person, heb sôn am berson a cheffyl. Cymerodd gip ar y nant a phenderfynu mai dyna'r unig ffordd i groesi. Aeth ei geffyl ef ar draws yn ddigon didrafferth ond gwrthod symud cam a wnâi'r ceffyl arall.

'Be ddiawl sy'n bod arno fe?' gofynnodd yn ddiamynedd. 'Rho gic yn ei asenne fe 'da dy sodle.'

'Dw i'n gwneud hynny! Ond mae'r cythrel yn pallu symud.'

'Damio'r diawl.'

Bu'n rhaid i Dilwyn ddod o'i gyfrwy a chlymu'i geffyl ef wrth fonyn coeden. Yna rhedodd ar draws y bont a gafael yn ffrwyn y ceffyl arall. Trwy iddo ef dynnu ac i Rhian a'u mam gicio a slapio, penderfynodd y ceffyl mai da o beth fyddai croesi. Neidiodd i'r dŵr a charlamu drwyddo. Disgynnodd Dilwyn i'r dŵr dros ei ben ac ymladdodd

114

Rhian i adennill rheolaeth ar y ceffyl wrth iddo garlamu'n wyllt ar draws y cae. Gwelodd glwyd o'i blaen a dechrau arswydo. A oedd y ceffyl dwl yn mynd i drio neidio drosti? Tynnodd y ffrwyn yn chwyrn i'r chwith ac ymatebodd y ceffyl a charlamu'n ôl at Dilwyn. Arafodd yn raddol wrth ddynesu at y ceffyl arall a borai'n hamddenol ar lan y nant. Safai Dilwyn yn ei ymyl yn wlyb diferol. Dechreuodd Rhian bwffian chwerthin wrth weld yr olwg arno.

'Rhian, paid,' meddai ei mam. 'Dilwyn bach, rwyt ti'n wlyb sopen. Newidia i rywbeth sych neu mi gei di niwmonia.'

'Does dim amser nawr . . . mi newidia i ar y cwch . . . Cadwch y blydi ceffyl 'na o 'ngafael i,' meddai wedyn, cyn dringo'n araf ac anghyfforddus iawn i gyfrwy ei geffyl ei hun.

Dringodd y ddau geffyl i fyny'r llethr o'u blaenau'n ddidrafferth, ond wrth iddynt gyrraedd ael y bryn, penderfynodd Dilwyn ei bod yn well iddynt aros. Roedd y lleuad yn olau a medrai unrhyw un o'r pentref weld eu hamlinelliad ar y gorwel.

Ond roedd rhagluniaeth yn amlwg o'u plaid y noson honno; yn union wedi iddynt aros a chysgodi yn ymyl clawdd rhag y gwynt, clywsant gynnwrf mawr yn y pentref: gweiddi a drysau'n cau, a'r lle'n oleuadau i gyd. Meddyliodd Dilwyn efallai bod milwyr yno'n chwilio am y tri ohonynt. Os dyna oedd yn digwydd fe'i cysurodd ei hun eu bod yn chwilio yn y lle anghywir. Nid oedd yr un golau i'w weld yn agos i fferm Caergywydd. Erbyn hyn, roedd ei ddannedd yn siarad â'i gilydd bymtheg y dwsin a theimlai fod pob rhan ohono'n crynu. Cododd ei ben; roedd y lleuad yng nghanol clwstwr o sêr, heb yr un cwmwl ar ei gyfyl. Byddai'n rhaid iddynt aros yma nes deuai cwmwl i dywyllu eu llwybr. Penderfynodd newid ei ddillad. Tynnodd un o'r bagiau oddi ar gefn ei geffyl a newid yn frysiog gan daflu'r dillad gwlyb dros war y ceffyl. Yr oedd pethau wedi tawelu yn y pentref bellach ond nid oedd cwmwl i'w weld yn unman. Dechreuodd boeni am yr amser. Edrychodd ar ei wats. Roedd hi wedi troi naw. Byddai'r cwch pysgota ar y sarn am ddeg. Dechreuodd anesmwytho. Pasiodd pump ac yna ddeng munud.

'Paid â phoeni,' meddai Rhian wrtho, 'ddaw'r cwmwl 'na ddim cynt wrth i ti fynd i banic fan hyn.'

Tawelodd Dilwyn ryw ychydig.

O'r diwedd, daeth y cwmwl y bu'r tri'n gweddïo amdano ers rhai munudau. Dringodd pawb i'r cyfrwy a brysio dros y grib ac i lawr y llethr i gyfeiriad Maenuwch a'r môr. Wedi pasio'r fferm a mynd yn eu blaenau'n eithaf cyflym, daethant at y ffordd fawr. Croeswyd honno mewn chwinciad a throi i'r heol gul isaf a arweiniai tua'r môr, tua chanllath o ffermdy Rhosgellan. Cadwodd y ddau geffyl ar y borfa hyd ochr y ffordd. Oedodd Dilwyn am funud, gyferbyn â Rhosgellan, i wrando. Ni chlywent ddim ond sŵn y môr a'r gwynt.

'Rydyn ni'n lwcus mai yn Wallog mae'r safle heno,' meddai. 'Dydyn nhw ddim yn defnyddio'r lle'n aml iawn am fod 'na dŷ i lawr wrth y traeth. Mi fyddai hi wedi bod dipyn anoddach i chi—y! ni—feddwl am gyrraedd un o'r safleoedd eraill . . . Mae'n rhaid i ni fynd i'r coed 'co i aros am funud, dewch.'

Ac i ffwrdd â nhw eto a throi i fyny i goed Llechwedd Melyn. Daethant o hyd i'r guddfan yno'n reit hawdd a chlymu'r ceffylau y tu allan iddo. Aeth y tri i mewn i aros.

116

Cyn hir, cofiodd Dilwyn fod angen rhybuddio'r ddwy.

'Gyda llaw, os byddwch chi'n nabod unrhyw un o'r bobl ddaw 'ma yn y funud, *peidiwch* â'u galw nhw wrth eu henwe iawn. Mae ffugenw 'da pawb fel na all neb gael ei fradychu i'r heddlu cudd.'

Arhosodd pawb yn dawel wedyn, yn edrych ar y goleuadau yn ffenestri'r ddau dŷ odanynt, neu adlewyrchiad symudol y lleuad ar y môr. Gwrandawent ar y ceffylau'n pori neu'r tonnau'n torri ar y traeth cerrig. Doedd yr un ohonynt yn edrych ymlaen at yr hyn oedd o'u blaenau. Meddyliodd Marian Dafis am yr oriau a dreulient mewn cwch pysgota agored; gafaelodd Rhian yn dynn yn y ddau gerdyn pinc oedd ganddi yn ei phoced i brofi i'r awdurdodau yr ochr draw pwy oeddynt.

Yna'n sydyn, ymddangosodd pedwar person wrth fynedfa'r guddfan. Dywedodd un na fedrent fynd â'r ceffylau ar y sarn heno er bod y llanw'n isel. Fe fyddai'n rhaid defnyddio cwch. Adnabu'r tri'r llais ar unwaith. Llais Mr Williams Syfydrin ydoedd a gwyddai Rhian yn syth mai Ifan oedd y lleiaf o'r pedwar a safai o'i blaen. Brysiodd ati a rhoi'i fraich yn dyner am ei hysgwydd a'i gwasgu'n glòs.

'Fe rwyfwn ni chi allan, i'r gogledd o'r tŷ 'co,' meddai John Williams. 'Allwn ni ddim defnyddio injan gyda'r gwynt 'ma'n chwythu i'r tir . . . Dewch!'

'Allwn i ddim dweud wrthot ti! Allwn i ddim dweud wrth neb . . . y byddwn i 'ma heno,' sibrydodd Ifan.

Am eiliad teimlodd Rhian yn grac fod Ifan wedi'i thwyllo, ond gwyddai nad oedd am i ddim ddifetha'r ychydig funudau ychwanegol, gwerthfawr hyn gydag ef.

'Dere,' meddai yntau.

Felly dilynodd y ddau'r fintai drwy'r coed ac i fyny'r

rhiw. Gafaelai Ifan yn dynn am ysgwyddau Rhian bob cam o'r ffordd. Ffarweliodd un o'r dynion dieithr â hwy yno ac arwain y ceffylau i fyny tua'r ffordd fawr. Torrodd y gweddill ar draws y cwm, dros bompren fechan, ac i fyny'r bryn gyferbyn. Diflannodd Ifan a'r dyn arall am ychydig ond daethant yn eu holau'n fuan yn cario cwch rwber.

Cyrhaeddodd pawb y traeth yn ddianaf am oddeutu pum munud i ddeg, a chan gadw gyda'r creigiau, cerddodd pawb ganllath tua'r gogledd. Roedd hi fel y fagddu wrth iddynt bwyso'n erbyn y creigiau mewn cilfach fechan, i gysgodi rhag y gwynt. Gallent glywed y tonnau'n lluchio cerrig ar y traeth wrth dorri ac yn eu sugno'n ôl wedyn. Eglurodd tad Ifan y byddai'r sarn yn eu cysgodi rhag y tonnau gwaethaf.

Roedd hi'n amhosibl siarad gyda chymaint o bobl o'u hamgylch, felly y cyfan a wnaeth Rhian ac Ifan oedd gafael yn dynn yn ei gilydd, yn y fagddu.

Daeth y lleuad allan o'i guddfan am y tro cyntaf ers amser a chredai pawb iddo glywed sŵn cwch, yn ysbeidiol, ar y gwynt! Gollyngodd Ifan ei afael yn Rhian a mynd i geg y gilfach. Sylweddolodd fod ei amheuon yn wir. Clywai sŵn dau gwch, un bach ac un mawr. Gallai weld y ddau'n agosáu yng ngolau'r lleuad.

'Haleliwia,' meddai Ifan dan ei wynt, 'mae 'na ddau gwch. Un o rai'r Llynges yw'r un mwya 'co.'

Edrychodd pawb ond Mr Williams ar ei gilydd ag ofn pur, pawb heblaw Rhian. A gâi hi aros wedi'r cwbl, meddyliodd.

'Peidiwch â gwylltu,' meddai Mr Williams. 'Gawn ni weld beth ddaw.'

Yn raddol, roedd y cwch mawr neu long fechan yn

118

goddiweddyd y cwch bychan. Daliodd pawb ei wynt yn disgwyl clywed ei injan yn tawelu. Ond ni wnaeth. Aeth yn ei flaen a chlywyd ochenaid fawr o ryddhad yn atseinio o gwmpas y gilfach. Ond bu'n rhaid dal gwynt eto; efallai y byddai'n aros ger y sarn. Ond mynd yn ei flaen a wnaeth.

Hir iawn fu'r aros iddo fynd yn ddigon pell tua'r Borth fel y gallai John Williams fflachio arwydd ar y cwch bach.

'Esgusodwch fi, Mr . . . y . . .' meddai Marian Dafis, tra oeddynt yn disgwyl i'r cwch basio'r sarn. 'Faint sydd arnon ni i chi am y croesiad 'ma? Does 'da ni ddim arian, ond fe anfonwn ni e i chi cyn gynted ag y gallwn ni ar ôl cyrraedd.'

'Peidiwch â phoeni dim. Mae'r Cyngor wedi pender-fynu'ch bod chi'n achos haeddiannol, felly ni fydd raid i chi dalu dim, mewn arian. Dim ond gweithio droson ni pan gyrhaeddwch chi'r ochr draw.'

'Fe allwch fentro y byddwn ni'n fwy na pharod i wneud 'ny.'

Ar hyn, aeth y lleuad y tu ôl i gwmwl a brysiodd pawb i fanteisio ar y tywyllwch.

Llusgwyd y cwch i lawr y traeth at y dŵr. Rhoddwyd Rhian a'i mam a'r pethau yn y cwch a dringodd Dilwyn, Ifan a John Williams i mewn atynt. Gwthiodd y dyn arall hwy allan i'r dŵr a rhwyfodd Ifan a'i dad yn gadarn drwy'r tonnau ac i ben draw'r sarn. Yno cododd Ifan y lamp a'i dangos unwaith eto i'r cwch pysgota.

Yn araf, dynesodd hwnnw, a gollwng ei angor. Rhwy-fodd Mr Williams ac Ifan eto. Yr oedd calon Rhian yn ei gwddf. Gafaelodd yn dynn yn llaw ei mam, a'i gwasgu. O'r diwedd, trawodd y cwch rwber y cwch pysgota, a thaflwyd rhaff ar draws i glymu'r ddau. Cododd tad Ifan ar ei draed ac ysgwyd llaw â chapten y cwch pysgota oedd yn pwyso yn erbyn y rheiliau. Trosglwyddwyd pecyn i law'r capten.

'Welsoch chi'r Llynges?' gofynnodd hwnnw.

'Do. Braidd yn rhy agos i fi.'

'Mae'r diawled wedi hen arfer â 'ngweld i mas wrth fôn y creigie 'ma ar ôl 'y nghewyll. Bydden nhw'n dechre poeni 'tasen i *ddim* 'ma!'

'Pryd mae'r *rendezvous* i fod rhyngot ti a'r Gwyddelod?'

'Mewn tua dwy awr,' meddai, a chan droi at ei deithwyr ychwanegodd, 'Fe gewch chi siwrne well o fan'ny 'mlaen.'

Gyda hynna o siarad, taflwyd y bagiau i'r cwch pysgota. Yr oedd yr amser wedi dod i ffarwelio. Taflodd Rhian ei breichiau am wddf Ifan a sibrwd drwy'i dagrau, 'Edrych ar ei ôl e . . . a ti dy hunan, yn fwy na neb.'

Gwasgodd Ifan hi'n glòs am ei chanol a phlannodd gusan dyner, hiraethus ar ei gwefusau crynedig.

Ysgydwodd Rhian law â Mr Williams wedyn a dweud, 'Diolch am bopeth'.

'Popeth yn iawn, 'merch i.'

Helpodd Mr Williams a'r capten hi i ddringo ar fwrdd y cwch pysgota. Tro ei mam oedd hi wedyn. Ysgydwodd law â'r tad a'r mab, cyn derbyn help llaw ganddynt i ddringo i'r cwch pysgota lle'r oedd y capten wrthi'n brysur yn codi'r angor.

Gollyngwyd y rhaff a gysylltai'r ddau gwch wedyn, a daeth y lleuad i'r golwg eto.

'Ta, ta,' gwaeddodd Dilwyn. 'Cadwch mewn cysylltiad . . . hwyl!' Cododd ei law a thaflu cusan iddynt ar y gwynt.

'Na, na,' sgrechiodd Marian Dafis a chamu at ochr y

cwch ac estyn ei breichiau allan at ei mab. 'Dilwyn! Dilwyn!'

'Mae'n rhaid i fi aros, Mam. Mae arnyn nhw angen pob copa walltog.'

'Na, Dilwyn, na, wnest ti addo!'

'Mam, mae'n rhaid i fi . . .'

'Dil!' A dechreuodd feichio crio.

'Cadw gysylltiad 'da'r rhain, Rhian,' gan gyfeirio at y ddau o Syfydrin, 'Fe ga i w'bod eich hanes chi wedyn . . . hwyl!'

Cododd Dilwyn ac Ifan law arni, a gwnaeth Rhian ymdrech i wneud yr un fath. Ond prin y gallai eu gweld oherwydd y dagrau tawel a gronnai yn ei llygaid. Rhoddodd ei braich am ysgwydd ei mam, a'i theimlo'n ysgwyd wrth i'r dagrau a'r ocheneidiau gael eu rhwygo ohoni.

Trodd y cwch rwber tua'r lan, a chiliodd y lleuad y tu ôl i gwmwl fel na fedrai'r un o'r ddwy weld dim. Teimlodd Rhian y cwch yn troi o dan ei thraed, allan tua'r bae. Gafaelodd yn dynnach yn ei mam a chododd law hiraethus eto tua düwch y lan.